2050
カーボンニュートラル
実現を目指して

監修：**柏木孝夫**　**森本英香**
東京工業大学名誉教授　早稲田大学教授

時評社
JIHYO BOOKS

目　次

座談会

第2章　先進自治体の取り組み

座談会

序章　巻頭言

技術で勝って、ビジネスでも勝つ
水素ビジネスモデルの構築を

東京工業大学名誉教授

柏木　孝夫（かしわぎ　たかお）

1946年生まれ、東京都出身。70年東京工業大学工学部生産機械工学科卒業、その後同大学大学院を経て、79年博士号取得。80年米国商務省 NBS 招聘研究員、東京工業大学工学部助教授、東京農工大学教授、同大学評議員、図書部長などを経て、2007年より東京工業大学総合研究院教授（現・科学技術創成研究院）、09年先進エネルギー国際研究センター長、12年特命教授、23年より現職。また、11年より（一財）コージェネレーション・エネルギー高度利用センター理事長、水素・燃料電池戦略協議会議長、内閣府エネルギー・環境イノベーション戦略会議議長など、長年国のエネルギー政策に深く関わっている。

地域単位で、ローカルな自律性と
グローバルなネットワークの構築を
バランス良く進めていく

早稲田大学教授

森本　英香（もりもと　ひでか）

1957年生まれ、大阪府出身。東京大学法学部卒業後81年環境庁に入り、2001年環境省環境管理局大気生活環境室長、02年環境大臣秘書官、03年米国 East West Center 客員研究員、内閣官房内閣参事官、05年環境省大臣官房廃棄物・リサイクル部企画課長、06年総合環境政策局環境保健部企画課長、08年大臣官房総務課長、09年秘書課長、10年大臣官房審議官、10年 9 月国際連合大学（日本国）、11年環境省大臣官房審議官、同年内閣官房内閣審議官・原子力安全規制組織改革準備室長、12年原子力規制庁次長、14年環境省大臣官房長、17年環境事務次官、20年より現職。

——「脱炭素成長型経済構造への円滑な移行のための低炭素水素等の供給及び利用の促進に関する法律案」（水素社会推進法）が2024年2月13日閣議決定され、第213回通常国会に提出されました。柏木名誉教授は、この法案をどのように評価されていますか。

柏木　非常に前向きなものだと高く評価できると思います。これからカーボンニュートラル時代を見据えると、「水素」「アンモニア」「合成メタン」「合成燃料」などが、さまざまな産業で使用される基盤材になるのは間違いなく、「水素活用推進法」が水素社会を構築していく上での後押しになるでしょう。

　水素に関しては、17年に世界初の「水素基本戦略」を宣言した当時、わが国は、間違いなく世界の先頭グループを走っていました。既にその時点で、パナソニックが家庭用燃料電池「エネファーム」（09年）、トヨタがFCV（燃料電池自動車）「MIRAI」（14年）など、目に見えるかたちで商用化されていたからです。

——当時、ドイツの自動車メーカーが「MIRAI」の価格（723万円6千円）を聞いて「ゼロが一つ足りないのではないか。7000万円でないと市場には出せないよ」と驚いたという有名なエピソードありますね。

柏木　当時、海外勢は、「技術では日本では勝てない」とはっきりと認めていたのです。恐らく現時点においてもその認識は変わらないでしょう。

　「エネファーム」は既に46万台以上が普及し、22年には、川崎重工業によって液化水素の貯蔵・輸送技術が確立しました。水の電気分解による水素製造技術においても日本は高い技術力を誇っています。

　しかし、海外勢は、単体の技術で日本に敗れることはあっても、最終的に「ビジネスで勝つ」という戦略を描いていることは間違いありません。

——詳しく教えてください。

2014年にトヨタ自動車が発売したFCV「MIRAI」
（出典：トヨタ自動車）

柏木 「ビジネスにおいて勝つ」とは、いくつかの方法論が考えられますが、最終的には「いかに CO_2 を出さずに、コストの安い水素を供給できるか」という点に焦点を絞っているのだと思います。

　例えば、ドイツは安いコストの水素の供給体制を構築するために、「H_2 グローバル」のような組織を立ち上げて、アフリカの北部に太陽光発電などの再エネ施設を ODA のお金を投入して作り上げようとしています。再エネ施設とヨーロッパ本国をパイプライン＆ワイヤー＆光ファイバーで結び、EU 内で電気が足りないときには電気としてもらう。電気が余っているときは、水素にかえて、グリーン水素をもらうという仕組みで、キャッシュも EU からアフリカに循環させるような「サーキュラーエコノミー」を構築しようとしています。

——水素は、石油や石炭といった既存の一次エネルギーと異なり、「つくる」必要があるため、EU はいかに安いコストの水素を創るかという点を念頭においてしのぎを削っている、と。

柏木 16年に発効されたパリ協定以降、世界各国はカーボンニュートラルを見据えたグリーン戦略に本気で取り組み始め、水素に関して言えば、EU やアメリカ、韓国などは、水素を社会活用できる法律を次々と制定しています。22年2月のロシアによるウクライナ侵攻も、EU を中心とした各国の資源戦略に大きな影響をもたらし、結果的に水素に対する期待がますますクローズアップされることになりました。

——1990年〜2000年代ごろにかけて、例えば DRAM（半導体メモリー）や液晶パネルなどの事例のように、日本は「技術で勝って、ビジネスで負ける」という展開がよく見られました。水素については「技術で勝って、ビジネスでも勝つ」というモデルが必要ですね。

柏木 ご指摘の通りです。そのためには、日本国内において、民間企業同士が地域を巻き込んで、水素社会実装のためのビジネスモデルを創り上げていくことが必要です。供給体制だけでなく、水素ステーションなどのインフラ、サプライチェーンを構築していかねばなりません。

　民間企業の目線に立つと、これまでは政府に対しても一種のもどかしさ

「水素等サプライチェーンの拡大と強み」

（出典：経済産業省）

を感じずにはいられなかったというのが本当のところではないでしょうか。日本にはこれまで水素に関する法律がなく、高圧ガス保安法などの規制もあって、なかなか投資しにくい環境にあったからです。

——では、今回の「水素社会推進法案」が成立し、施行されることによって、ようやく水素社会実装のビジネスモデル創出に向けての環境が整ったと言えるわけですね。

柏木　その通りです。政府は、23年2月にGX実現に向けた基本方針を決定し、5月に「GX推進法」と「GX脱炭素電源法」が成立。同年6月に6年ぶりとなる「水素基本戦略」を改定し、7月には「GX推進戦略」を策定しました。さらに、今回の「水素社会推進法」を重ね合わせると、私は政府の水素社会実装に対する本気度を感じざるを得ません。今後は、地域ごとのビジネスモデルを早急に構築し、政策パッケージとしてそのモデルを輸出していけるようにしていくことが、脱炭素と国の成長を両立させる道だと確信しています。

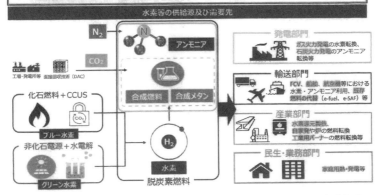

カーボンニュートラルに必要不可欠な「水素」や「アンモニア」「合成メタン」「合成燃料」

（出典：経済産業省）

水素の重要性を改めて考える

――本書籍「2050カーボンニュートラル実現を目指して」は、まず、国会議員、地方自治体首長、中央省庁・地方自治体職員の皆さんに読んでいただくことを想定し、編集しています。先ほど、「水素」「アンモニア」「合成メタン」「合成燃料」などが、さまざまな産業で使用される基盤材になるとのご説明を受けましたが、2050年カーボンニュートラルを実現していく上で、改めて水素の重要性について詳しくご説明いただきたいと思います。

柏木 水素の大きな特長は、再エネ拡大による余剰電力を蓄えられることにあります。電気はしばしば生き物に例えられますが、需給が同時同量でなければ供給障害が起こります。

　しかし、カーボンニュートラルの実現で、大きな役割を担うであろうと期待されている太陽光発電や風力発電は、天候による変動性が大きいため、仮にこれらの電力が供給過剰に陥った場合、電力調整が必要になりま

褐炭とは

- 若い石炭で大量、世界に広く分布
- 水分量が50〜60％と多い
- 乾燥すると自然発火しやすいため、輸送が困難で、現地の発電でしか利用されていない

▼

- 輸送できないため、海外取引は皆無で、採掘権のみの「**未利用資源**」＝「**安価**」、「**権益取得容易**」
- 多くの水素の製造方法中でも、**褐炭からの水素製造は最も経済的な方法の一つ**

褐炭採掘現場　　ラトローブバレー

地平線まで褐炭層あり地表から深さ250mまで一つの層
さらに、その下にも褐炭層あり（日本の総発電量の240年分に相当：すべて水素に変換した場合）

水素は未利用資源からも抽出できるのが大きなポイント
川崎重工業は、オーストラリアの「褐炭」から水素を抽出し、液化水素として日本へ輸送することに成功した。この事例のように、水素はこれまで利用されていないものからも抽出できるメリットがある。

（出典：川崎重工業）

す。例えば、火力発電など化石燃料による発電の場合、発電を止めて電力調整できればよいのですが、これらは急な停止や稼働がすぐにはできない仕組みになっています。

――その場合、結局、太陽光発電や風力発電によるクリーンな電力を廃棄せざるを得ない、と。

柏木　現状ではそうなります。しかし、この課題を解決する上でクローズアップされてくるのが水素になります。もし供給過剰になった場合でも、水素というかたちで蓄電しておけば、よいわけです。水素は、大量貯蔵、長期保存が可能になるので、代替技術が少なく転換が困難な、鉄鋼・化学などの hard to Abate セクターやモビリティ分野、サプライチェーン組成に資する発電などでの活用も期待できます。

――水素はさまざまな用途に活用できるわけですね。

柏木　はい。加えて水素は、さまざまな未利用エネルギーからも抽出ができるというのが魅力です。水素は、宇宙で最も多く存在する元素で、地球上では他の元素と結び付き、多くが化合物として存在しています。水（H_2O）、アンモニア（NH_3）、硫化水素（H_2S）などがその一例です。

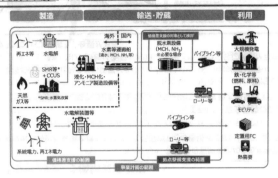

> ■ 拠点整備支援は、大規模な利用ニーズの創出と効率的なサプライチェーン構築の実現に資する**水素等の大規模な利用拡大につながり、様々な事業者に広く裨益する設備**に対して重点的に支援。
>
> ■ 「**低炭素水素等を、荷揚げ後の受入基地から需要家が実際に利用する地点まで輸送するにあたって必要な設備であって、民間事業者が複数の利用事業者と共同して使用するもの（共用パイプライン、共用タンク等）**」に係る**整備費の一部を支援**。

「水素等」の拠点整備支援制度

（出典：経済産業省）

　先ほど、川崎重工業による液化水素の貯蔵・輸送技術を構築した事例を説明しましたが、このケースにおいて水素のもとになっているのは、褐炭（かったん）という、これまで石炭としては全く商品価値がなかった未利用エネルギーでした。ちなみに、オーストラリアにおける褐炭の埋蔵量は、330億トンと言われており、その量は日本のエネルギー総需要量の240年分に相当するそうです。褐炭のみならず、石炭火力発電やガス火力発電などからも CO_2 を分離、回収し、CO_2 フリー水素を製造することもできます。

――**なるほど。では、大量貯蔵、長期保存が可能な水素の特性を生かすには、どのような設備、インフラが望ましいと言えるのでしょうか。**

柏木　ここで重要になるのが、需給全体で電力を統合・制御するプラットフォームです。プラットフォームとは、システムやサービスを推進するための基盤であり、先述したビジネスモデルもプラットフォームと置き換えていただいてもよいでしょう。

　カーボンニュートラル型のプラットフォームには、大規模発電所や再エネ発電所はもちろん、蓄電池やEV、水素エネルギーシステム、ビルエネ

ルギー管理システム（BEMS）、ネット・ゼロ・エネルギー・ハウス（Net・Zero・Energy・House）などに接続され、デジタルトランスフォーメーション（DX）によるデマンドレスポンスにより、全体の最適化が図られるというイメージです。

――こうして、システム面からご説明いただくと、民間企業が単体ではなく、それぞれの強みを生かして、地方自治体を巻き込んでビジネスモデル＝プラットフォームをつくり上げるという発想が重要になってくるというのがよく分かりますね。

柏木　ご指摘の通り、プラットフォームを構築していく際に、個社で対応するのではなく、いくつかの企業がチームをつくって、地方自治体とともに当該地域の課題解決に当たるというビジネスモデルをつくり上げるイメージだと思います。仮に、港湾型のまちであれば、カーボンニュートラルポート（CNP）を軸に、複数の民間企業が集まって、地域の課題を解決しながらカーボンニュートラル型のプラットフォームをイメージして議論すればよいでしょうし、中山間地型のまちであれば、バイオマス発電などを軸に、複数の民間企業が集まって、地域の課題を地方自治体とともに解決する方法を模索していくというイメージからスタートするのがよいのではないのではないでしょうか。

わが国「エネルギー安全保障」の観点から水素を見つめ直す

柏木　もう一つ、水素社会を実装する上で、指摘しておきたい大切なポイントがあります。それは、水素がわが国の「エネルギー安全保障」の観点からも非常に重要な存在になり得るということです。

――水素の形状で貯めておけば、さまざまなエネルギーに活用できるということは先ほど解説していただきました。

柏木　2022年のロシアによるウクライナ侵攻によって、エネルギー価格が高騰したことに加え、豊富な天然資源を有するロシアからの輸入が困難になったことで、多くの国でエネルギー安全保障問題が浮き彫りになりました。特にロシアからの輸入が多いEUにとって、その影響は大きく、代替

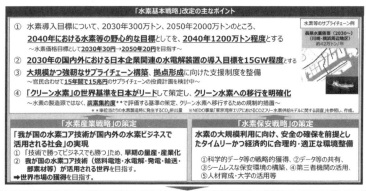

2023年6月に策定された「水素基本戦略」のポイント
（出典：経済産業省）

エネルギーの調達が急務になっています。

——EU は水素に着目せざるを得ないのですね。

柏木　はい。EU は、ロシアへのエネルギー依存度を低下させるため、省エネの徹底と水素など代替エネルギー源の置き換えを急ぐ方針を打ち出しています。こうした中で、アメリカと欧州委員会は、「エネルギータスクフォース」を発足させ、水素を含むクリーンエネルギーの普及に向け、関連インフラの構築を進めることを表明しました。

——石油、石炭などの一次エネルギー自給率が低く、安定的なエネルギー調達のための体制づくりが大きな課題になっているわが国においても水素社会の実装が非常に重要だということがよく分かります。

柏木　23年6月に策定された、改定版「水素基本戦略」を見ると、日本は水素の利用量を30年に最大300万トン、40年には1200万トン程度と現在の6倍にまで増やすことを目指すとしています。ただし、「エネルギー安全保障」の観点から水素を見ると、最終的には、国内でどれだけコストの安い水素を作ることができるかというテーマに戻るわけですね。

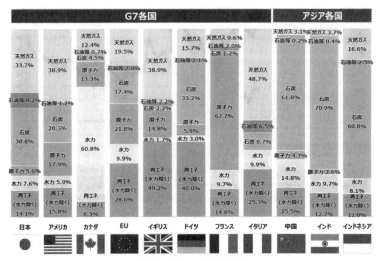

各国の足下の電源構成

（出典：経済産業省）

──今後、日本で「水素基本戦略」の目論見通り、水素の生産が増えるとなると、わが国の電源構成も大きく変わってくるでしょうか。

柏木　直近のわが国の電源構成を見ると、天然ガス33.7％、石油など8.2％、石炭30.8％、原子力5.6％、水力7.6％、再エネ14.1％（2022年当時）という比率になっています。

　私は、エネルギーミックスの観点から、わが国の電源構成比はバランス良く分かれていた方が良いと考えています。先ほどお話されたように、安定的なエネルギー調達のための体制づくりが大きな課題になっているわが国にとって、一つの電源に依存してしまうのは、あまりよいことではありません。今後を見通すと、日本の場合はまずは原子力と再エネの割合をどう伸ばしていくか、それから中長期的に水素の供給をどのようにしていくかが課題になっていくでしょう。

書籍「2050カーボンニュートラル実現を目指して」発刊にあたって

——今回、書籍「2050カーボンニュートラル実現を目指して」の監修をお願いすることになりました。

柏木　「水素社会推進法案」が閣議決定され、国会に提出されたタイミングでの発刊を大変うれしく感じています。なぜなら、水素社会実装のためのプラットフォームを創り上げていかねばならないこのタイミングで、国会議員あるいは地方自治体首長の皆さんにぜひ読んでいただきたいと思ったからです。

——本書では、自民党水素社会活用議員連盟の国会議員の皆さんに多大なご協力をいただいたほか、経済産業省資源エネルギー庁はじめ、国土交通省、環境省など中央省庁の皆さんにもご協力いただき、インタビュー方式で国の取り組みを分かりやすく説明してもらっています。また、先進地方自治体インタビューとして神戸市・久元喜造市長、岡山県真庭市・大田昇市長にお願いしています。神戸市は水素、真庭市は地域脱炭素の視点から話を聞いています。

柏木　水素社会実装のためのプラットフォームを構築していく上で、地方自治体は、プレイヤーとしても不可欠になるはずです。神戸市、真庭市の事例をぜひ "わが事" として今後のまちづくりの参考にしてもらいたいと思います。

　また、2023年に神戸市で実施した「水素セミナーレポート」も第4章に取り入れています。「水素基本戦略」が改定された直後のタイミングでの開催だったため、「水素基本戦略」改訂のポイントの説明や今回の「水素社会推進法案」に向けてのメッセージなどが発表されましたが、こうした議論の積み重ねがあったことを記録しておく意味でも、意味があることと考え、2023年6月開催当時のまま、掲載することにしました。

——本書の特長として、要所ごとに座談会が盛り込まれていますね。

柏木　まさしく、本書構成上の特長として、第2章「霞が関の取り組み」

第3章「地方自治体の取り組み」第6章「先進企業の取り組み」の後に、事例研究として座談会を加えました。それぞれのインタビューや記事をご覧になった上で、座談会を具体例として読んでいただければ、読者の皆さんがカーボンニュートラルに対し、より具体的にイメージしていただきやすいはずです。

　第2章では、川崎福田紀彦市長、内閣府工藤彰三副大臣（水素社会推進議員連盟事務局長）、ENEOSホールディングス（株）宮田和秀社長に登壇いただき、私自身が進行役を担当して、「わが国が水素社会を構築していくために〜川崎市の事例をもとに考察する」というテーマで座談会を行いました。一方、第3章には、「地方自治体の取り組み」の中に、経済産業省資源エネルギー庁松山泰浩次長、鹿児島県肝付町・永野和行町長、おおすみ半島スマートエネルギー（株）村上博紀代表取締役による座談会を組み入れました。官民双方の視点で、こうした事例を"わが事"に置き換えながら読んでいただければ、新たにビジネスモデルを構築される際のヒントになってくると思っています。

――第5章の「有識者に聞く」では、水素社会推進議員連盟幹事長の井上信治衆議院議員、（一財）カーボンフロンティア機構塚本修理事長にお願いしました。

柏木　井上議員には、推進議員連盟の成りたちなどのご説明のみならず、水素社会を取り巻く海外の事情を詳しく述べていただきました。また、今回塚本理事長に登壇いただいた大きな理由は、「水素社会推進法案」とともに国会に提出された「CCS（Carbon dioxide Capture and Storage／CO_2の地中貯留）事業法案」にも触れておきたかったからです。CCSは、既設石炭火力発電所の大規模な CO_2 削減において有効な手段とされており、今後の行方が注目されています。

――民生部門については森本英香早稲田大学教授（元環境事務次官）にご登壇いただき、生活者の視点から「カーボンニュートラル」の解説をお願いしました。

柏木　実は、民生部門の CO_2 排出量は、当面の政府目標である2030年

46％削減の目標達成に向けて、家庭部門で66％、業務その他部門で50％と、他部門よりも一層の努力対策が求められています。他方、国や地方自治体にとって、カーボンニュートラルに対する、国民・市民との対話がさらに必要になってくると見ています。恐らく、これからの日本にとって民生部門に対するカーボンニュートラルの啓発は非常に重要なパートになっていくと思っています。

──森本教授には、巻頭言のほか、第6章「先進企業の取り組み」の中に「住宅から見たカーボンニュートラル」の進行をお願いしています。

柏木　この事例も、プラットフォーム構築のケーススタディとして、読者の皆さんにぜひご覧いただきたいと思います。国土交通省石坂聡住宅局長、積水ハウス上木宏平常務、LIXIL 吉田聡執行役専務にご登壇いただき、森本教授からは「大変実りのある座談会になりました」との報告を受けました。また、第6章の「先進企業の取り組み」は、各業界のトップレベルの企業の皆さんがカーボンニュートラルに向けて、どのように取り組んでいるのかレポート形式でまとめています。読者の皆さんには、こうした企業の息吹を感じ取っていただければ、監修した私としては望外の喜びです。

──ありがとうございました。

――森本先生には、2050年にカーボンニュートラルを実現するために、生活者の視点と言いますか、ミクロの視点でどのような意義があるのか、分かりやすく説明いただきたいのですが。

森本　カーボンニュートラルを進めるためには、一つは産業面、「供給面」での脱炭素が必須です。21年5月に「脱炭素成長型経済構造への円滑な移行の推進に関する法律」（GX法）を公布し、それに基づいて官民投資を進め産業構造を変えようとしています。もう一つ重要な視点は「需要面」、ライフスタイル・地域の脱炭素化です。供給面と需要面をバランス良く進めなければ、社会経済の改革はできないので、非常に重要なテーマと言えるでしょう。

　また、気候変動問題は地球規模の問題です。日本がカーボンニュートラルに向かうだけでは足らず、途上国も含めた世界中が取り組まねばなりません。カーボンニュートラルを考えるときには、国際的な視点、特にパートナーにもなり市場ともなる国々のことも視野に入れて取り組むことが大切だと思います。

――詳しく教えてください。

森本　化石燃料への依存度が大きく、また、大量生産・消費・廃棄の経済構造にあるのは日本だけではありません。日本が社会経済構造を変革して、他国のモデルになる脱炭素への道を示すことが重要な鍵になると見ています。つまり、先述した供給面のみならず需要、生活、地域面の脱炭素化を先行的に実現できれば、他国への横展開が可能です。脱炭素のノウハウや技術、システムの蓄積を世界に普及することで日本の成長戦略に寄与することができるはずです。

生活需要面の脱炭素化をどのように進めていくか

――では、どのように生活・需要面での脱炭素化を進めていけばよいのでしょうか。

森本　まず、地域、面的な広がりで取り組むという視点が大切でしょう。地域の社会課題の解決を目指すと同時にエネルギーと資源の利用を最小化

して脱炭素化を実現するという考え方に立って取り組むことが必要だと思います。

──**地域の社会課題には、例えば、過疎化や過密化、あるいは少子化、高齢化、さらには生活の不安などさまざま挙げられるのではありませんか。**

森本 そうですね。地域の社会課題の根幹には、地域の持続性、自律性が見通せないことがあります。明るい将来が見えず安心して暮らせない。そこで、まずは資源面およびエネルギー面で、ある程度自律できる地域社会を創っていく。その上で、より広いネットワークをつなげていく、広げていくという発想が求められてくるのではないでしょうか。先ほど、国際的な視点を併せ持つことが大切だとお話しました。これからは、地域という単位での自律性とグローバルなネットワークの構築をバランス良く進めていくということだと思います。

──**今、森本先生が指摘された資源面およびエネルギー面で自律できるようなローカル社会というのは、環境省が提唱している「地域循環共生圏」にもつながる考え方と言えますか。**

森本 はい。現在の日本は、東京を中心とした一極集中構造です。また、大量の資源とエネルギーを輸入して付加価値を付けて輸出するという大量生産・消費・廃棄の社会構造を変えるに至っていません。

　省庁再編の前の年、00年に経済企画庁最後の「経済白書（平成12年度年次経済報告）」が当時の堺屋太一長官のもとで書かれました。その序文において、日本が培ってきた産業構造モデル──規格大量生産型の工業社会、言い換えると、大量生産・大量消費・大量廃棄のビジネスモデル──で、「教育や地域構造、情報文化の在り方まで、これに有利なように作り上げた」として、社会構造、教育も含めた改革の必要性を強く提言しています。

──**「知価革命」ですね。**

森本 その通りです。堺屋さんはよく「知価」とおっしゃっておられました。「知価の社会に変えていく」と。それが、24年前、ほぼ四半世紀前の「経済白書」にも反映されています。残念ながら日本では、「知価社会」は

未だに実現されていない。大量生産・大量消費の経済社会モデル、東京一極集中の状況が続いています。

　今日、カーボンニュートラルという課題に直面し、新しい社会経済への変革の方向がおぼろげながら見えてきたのではないでしょうか。脱炭素化の実現には、デジタルトランスフォーメーション（DX）と資源利用の最小化──「サーキュラーエコノミー」（CE）が不可欠です。コロナ禍を経験し、生活の中にデジタル化が定着してきました。オンラインで日本のみならず、国際会議も居ながらにして可能になってきました。一方で、リチウムなどのクリティカルマテリアルなど偏在する資源の囲い込みに直面して、資源安全保障の必要性も高まってきています。資源・エネルギーの消費の最小化につながる脱炭素は目的であるとともに手段です。DX や CE も同様です。

　脱炭素化、デジタル化、そして資源循環を活用することで、地方に自律的な社会を構築することが可能になってきたと言えると思います。

──なるほど。デジタルを活用することで、ローカルな自律性とグローバルなネットワークがバランス良く保たれた、資源を有効活用し脱炭素化が実現された社会、これがいわゆる「知価社会」と言えるわけですね。

森本　そういうことになると思います。脱炭素化というキーワードだけでは、地域はなかなか動きにくいという現実があります。地域課題を解決するために脱炭素化というツールを活用する、そういうひも付けを示していくことが何より求められていくと言えるのではないでしょうか。各地域の課題を解決しながら、それぞれの特性に応じた自律性が確保された社会、分散型の社会にしていくことが、生活の質を高める新しい成長の実現と経済安全保障の観点から、これからの日本にとって非常に重要になると思います。

脱炭素の推進が地域の社会課題の解決につながる

──先ほどの地域という視点で言うと、地方自治体が単位として分かりやすいと思いますが、カーボンニュートラル社会を実現していく上で、地方

自治体はどのような姿を目指していけばよいのでしょうか。これからの地方自治体のあるべき姿について、もう少し詳しくお聞かせください。

森本 脱炭素化することで地域の社会課題の解決につなげるという考え方が起点になると思います。つまり、雇用、子育て支援あるいは過疎化に対する対応など、地域の解決の手段として脱炭素を活用する。既に活用している地方自治体もあります。地域には再エネ、省エネ・省資源のポテンシャルがあるので、まず、自分の地域の社会課題を「見える化」し、それを脱炭素という文脈の中で解決する方策を考えていただくのが一番分かりやすいし、実効性もあるのではないでしょうか。

——**各自治体担当者は、まずは地域の課題を見つけていくという発想からスタートするということですか。**

森本 そうです。加えて、地域に賦存（ふそん）するエネルギーや資源など自分たちのリソースを活用していくという視点が大切です。自然エネルギーを含めた地域資源をどう活用できるのか、とにかくこれを徹底的にやっていくという姿勢が地方自治体には求められてくると思います。

——**エネルギー消費を削減していくという視点については、いかがでしょうか。**

森本 エネルギー消費を削減し、再エネを活用してCO_2を減らしていくことが大切なのは言うまでもありません。ただ、カーボンニュートラル＝エネルギーではないということを強調しておきたいですね。つまり、省エネ・再エネの議論にとどまらず、地域住民の皆さんのライフスタイルを変えていくという発想が不可欠になると思います。

——**地域住民のライフスタイルを変えるとは、具体的にはどのようなことでしょうか。**

森本 例えば、モノの消費。飽食、大量消費を改める、地産地消も立派な脱炭素の取り組みです。私たちは、いろいろなモノを外国から輸入しています。当然、輸送するときに、大量のCO_2を出しています。私たちは、洋服や生活にまつわるモノをいっぱい消費して、ごみにして捨てています。消費「量」を減らし、価値あるものを長く使うだけでCO_2の削減に

なります。

　あるいは発想を変えて、DX を使ってサービス化してみる。サービスを提供するが、モノは売らないというモデルによって、資源のムダと CO_2 の排出量を減らすことが可能かもしれません。

　また、移動。地域内の移動には、クルマで行くのではなくて LRT など公共交通を使う。あるいはオンラインなどを活用して、「行かない」という選択肢もあり得るでしょう。

　DX 化を進めながら住民のライフスタイルを変えることでカーボンニュートラルにとどまらず資源の循環利用、「サーキュラーエコノミー（循環型経済）」まで構築していくという流れが出来てきます。まさしく、地方自治体が目指す理想ではないでしょうか。

アウトプットの視点を盛り込んで、人々の需要を創り出す

――では、地方自治体がカーボンニュートラルを実行する上で、参考になる先進事例があれば教えてください。

森本　先行事例として、よく挙げられるのが岡山県真庭市ですね。同市は中国山地の山合いのまちで、地域のリソースとして広大な森林があります。木材をカスケード利用する――製材し、残材を合板、さらにはバイオマス熱利用・発電利用にと無駄なく活用する――ことを通じて、地域の活性化が進められています。経済効果、雇用効果、波及効果、それぞれにわたって効果が現れています。特に同市の事例で素晴らしいと思えるのは、アウトプットの視点が盛り込まれていることです。

――一般的な地方自治体の事例はそうではない、と。

森本　一般的に、地方自治体の事業でよく言われるのはインプットの視点です。つまり、何をやったかは語られても、その事業に「どういう効果があったのか」まではなかなか導き出されていないのです。ところが、真庭市の場合は、経済効果、雇用効果などのアウトプットまでがはっきりと見据えられています。

　たとえば、バイオマス燃料に代替することで地域の林業家が収入を得る

わけで、林業の活性化になる。また、バイオマス発電所でも多くの雇用を創出しました。もちろんCO₂の削減効果もあります。同市が太田市長のリーダーシップのもと、自分たちで考えてやり始めたことの成果だと思います。

——真庭市の事例は、本書籍「先進自治体首長に聞く」（92P）中でも取り上げています。他の事例はいかがでしょうか。

森本　北海道下川町の事例が挙げられます。これも森林資源のカスケード利用です。広大な町有林を50年周期で循環利用し、切り出した木材を徹底的に活用しています。製材して販売するのが起点になりますが、同時に製材の端材、間伐材を原料にバイオマスの熱利用を進めています。街中から離れた人が一時的に住めるようにして緩やかに集住化につながるような「集中居住施設」を創り、冬場でも子どもたちが遊べるようにしています。余った熱を利用してキノコの栽培、雇用創出もしています。国土交通省が進めているコンパクトシティのローカル版みたいなことを実施しているイメージです。

——下川町の事例もアウトプットまでしっかりと描かれているわけですね。

森本　その通りです。燃料転換に際しては、これまで灯油販売業者をバイ

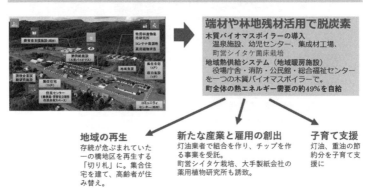

先進事例　森を活かして脱炭素　北海道下川町
50年周期で森を循環利用。切り出した材を徹底活用。

端材や林地残材活用で脱炭素
木質バイオマスボイラーの導入
温泉施設、幼児センター、集成材工場、
町営シイタケ菌床栽培
地域熱供給システム（地域暖房施設）
役場庁舎・消防・公民館・総合福祉センター
を一つの木質バイオマスボイラーで。
町全体の熱エネルギー需要の約49％を自給

地域の再生
存続が危ぶまれていた一の橋地区を再生する「切り札」に。集合住宅を建て、高齢者が住み替え。

新たな産業と雇用の創出
灯油業者で組合を作り、チップを作る事業を受託。
町営シイタケ栽培、大手製紙会社の薬用植物研究所も誘致。

子育て支援
灯油、重油の節約分を子育て支援に

（出典：環境省）

オマス燃料の取扱い業者にしたり、転換によって出た資金余剰は子育て支援に回したり、複眼的に取り組んでおられます。子育て支援の効果として、移住希望者も増えているそうです。

　ほかにも、千葉県の睦沢町はじめ多くの自治体が再エネ導入によって防災、避難施設のリジリエント化――つまり、停電時に、電気や温水が長時間使える――に取り組んでいます。

政府が進めてきたカーボンニュートラルの動き

――先ほど、森本先生が挙げられた岡山県真庭市と北海道下川町の事例は、環境省が進めている「地域脱炭素ロードマップ」の脱炭素先進事例としても知られていますね。では、これまで政府が進めてきたカーボンニュートラルの動きについてもまとめておきたいと思いますがいかがでしょうか。

森本　まず、2020年10月に菅前総理が「カーボンニュートラル宣言」をした後、二つの大きな方針が政府から出されました。一つ目は、同年12月に経済産業省によって出された「2050年カーボンニュートラルに伴うグリーン成長戦略」です。同戦略は、14分野（①洋上風力②燃料アンモニア③水素④原子力⑤自動車・蓄電池⑥半導体・情報通信⑦船舶⑧物流・人流・土

先進事例　地域の防災　千葉県睦沢町

自然エネルギー（太陽光、太陽熱）を活用して

住宅ゾーン
（自営線供給）

道の駅Aゾーン
（太陽光、太陽熱、
コジェネ設置）

完成イメージ

道の駅Bゾーン
（面的利用対象外）

- 2019年の「台風15号」の影響により、当該防災拠点エリアも一時的に停電。
- 停電発生後、直ちに停電した電力系統との切り離しを行い、当該エリアを「マイクログリッド化」したことにより、域内は迅速に電力が復旧。域内の住民は、通常通りの電力使用が可能

・温水が使えたのがありがたかった。
・2～3,000円お支払いしたいくらい気持ちよかった。（温泉施設を利用した住民の声）

（出典：環境省）

木インフラ⑨食料・農林水産業⑩航空機⑪カーボンリサイクル⑫住宅・建築物・次世代型太陽光⑬資源関連循環⑭ライフスタイル関連）によって構成され、「経済と環境の好循環」につなげていくための産業政策と位置付けられました。民間企業の投資を後押しする「グリーンイノベーション基金」も NEDO によって創設されました。この延長上に、20兆円の公的資金を投じて150兆円の官民投資を促す GX 法があります。

　もう一つの流れは、21年6月に出された「地域脱炭素ロードマップ」です。同ロードマップは環境省のみならず、総務省も特別の交付税措置を講じています。同ロードマップは地域に着目して脱炭素を進め、もっぱら再エネの利用、省エネの推進に力点を置くというのがポイントで、同年から5年間に政策を総動員し、人材・技術・情報・資金を積極支援し、30年度までに少なくとも100カ所の「脱炭素先行地域」をつくる内容になっています。また、継続的・包括的支援、ライフスタイルイノベーション、制度改革といった三つの基盤的施策を行い、モデルを全国に伝授し、50年を待たずに脱炭素を達成していく（脱炭素ドミノ）としています。

――確かに、100カ所の「脱炭素先行地域」をつくるという施策は、地方自治体にとってもインパクトがありますよね。

森本　海に面した沿岸部や島、大都市部、中山間地域など地域によって特

性があります。先に述べた地域のバイオマス資源を有効活用する例もあります。

その一方で、横浜市のような大都市の場合、需要に見合った再エネ生産には限界があるので、東北13町村と連携し、そこで生産された再エネ電気をみなとみらい地区に集中的に供給し、再エネ100％エリアとしてRE100に取り組んでいる外資系企業などを積極的に誘致しています。

地域に応じたさまざまな工夫を100カ所でモデル的に進めてもらおうという試みです。

グリーンディール、カーボンニュートラル、サーキュラーエコノミーがワンセットになっているという視点

——これまでの森本教授の説明を伺ってきて、2050年にカーボンニュートラルを実現する上で、地方自治体がDXを使って目指すべき姿が分かってきたような気がします。

森本　個人的には、日本の地方自治体にもっともっとパワーアップしてもらって、いい意味で、真庭市や下川町の事例を超えてもらうような素晴らしい事例が出てくることを期待しています。欧州での地域づくりの事例が参考になると思います。

まず大きな枠組みとして、EUにおいてのCE政策は、欧州のGX戦略——グリーンディール政策——の中核に位置付けられています。

エレン・マッカーサー財団のレポート「COMPLETING THE PICTURE: HOW THE CIRCULAR ECONOMY TACKLES CLIMATE CHANGE」によれば、再生可能エネルギーとエネルギー利用効率化が温室効果ガス排出の55％に寄与するが、残りの45％にはアプローチされないと指摘しています。残りの45％については、製品政策——製造や利用の循環化——が必要としています。

この考え方を受けて、20年に新CE行動計画（よりクリーンなより競争力のある欧州のための新CE行動計画）は、大胆な製品政策を打ち出し、製品の長期利用を可能とする「修理する権利」の創設やリサイクル原料の

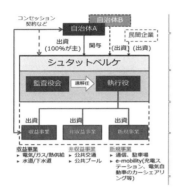

ドイツシュタットベルケの概念図
（出典：国土交通省政策研究所）

利用の義務付けなどが盛り込まれています。また、IoT やビッグデータ、ブロックチェーン、AI といったデジタル技術の活用により「製品のサービス化（PaaS)」という新しいビジネスモデルをつくることも強調しています。

――欧州の地域づくりの発想とはどのようなものなのでしょうか。

森本 ウクライナ情勢も踏まえ、脱炭素を切り口として「地産地消型」の経済モデルへの変革です。EU 全体として一定の独立した経済ブロック化するだけでなく、小さな単位でのエネルギー、資源の地産地消が進められています。

――具体的な事例があれば、ぜひ教えてください。

森本 地域脱炭素の先行事例として、デンマークのサムソ島がよく知られています。人口4000人弱という小さな自治体ですが、電力、熱需要を地産地消し、地元で経済をうまく回しています。

　1メガワットの陸上風力発電装置11基、23メガワットの洋上風力発電機が10基あり、陸上風力9基は農家が個人で所有、2基は協同組合が所有となっています。また、10基の洋上風力タービンのうち、2基を協同組合、3基をサムソ島内の民間会社、5基はサムソ市が所有して、デンマーク本土に売電して収益を得ています。

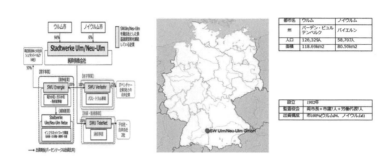

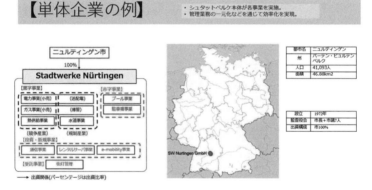

ドイツ持株会社と単体企業のスキーム
（出典：国土政策研究所）

　また、島の熱需要の70％が麦わらや木質チップなどのバイオマスボイラーなど再生可能燃料で賄われています。

　地産地消故の地元への経済効果は大きく、また、観光面でもメリットが出ています。何よりも地域の住民が自ら出資をして、その果実を地域で分配しているいい例だと思います。ここに至るまでには住民間の粘り強い対話があり、大きな役割を果たしたと聞いています。23年7月、「自然エネルギー100％の村づくり」を掲げている秋田県大潟村が、連携協定を結んでいます。

　また、ドイツ、オーストリアでは、エネルギー事業を中心とした地域公

共サービス、シュタットベルケ（Stadtwerke）、ゲマインデベルケ（Ge-meindewerke）が展開されています。多くのシュタットベルケ（ドイツ語で「町の事業」）が本業とする電力事業として、直接管理している発電設備容量は約5.7GWと、18年のドイツ国内の全設置済み再生可能エネルギー発電施設の約６％を占めています（立命館大学のラウパッハ教授資料による）。

　自然エネルギーの比率が高く、全体では17.5％。エネルギー事業、上下水道の他に、廃棄物処理、交通サービス、温水プール、カルチャースクールといった地域生活の向上に必要な事業を担っています。他にも学校や幼稚園、インターネット、図書館、劇場、博物館、病院、ケアホーム、避難所、消防、救命救急など、生活を幅広くサポートするサービスを提供するところもあります。

　日本的に言えば、いわゆる第三セクターに当たるわけですが、①自治体出資による公共性を確保しつつ、経営の専門人材の登用を積極的に図ること、そしてその効果を発揮するための監督と執行の機能分離を徹底すること、②複数事業の包括運営による安定的なポートフォリオの形成③地域人材採用・育成や地域への利益還元を通じた域内循環の徹底をパーパスとすること──などを通じて、着実な脱炭素化、地域資源循環を進めています。

──デジタルによって、グローバルなネットワークが構築されていれば、こうした欧州のまちづくりの事例も取り入れることができる地方自治体があるかもしれませんね。

森本　ぜひそうした流れを期待したいと思います。

──ありがとうございました。

第1章

霞が関の取り組み

経済産業省資源エネルギー庁

「水素社会推進法」を読み解く

——「脱炭素成長型経済構造への円滑な移行のための低炭素水素等の供給及び利用の促進に関する法律案」（水素社会推進法案）が2024年 2 月13日閣議決定され、第213回通常国会に提出されました。

井上　同法案は、①国・自治体・事業者が一体となって利活用を進めていく「低炭素水素等」の定義、国としての「基本方針」の策定などを明記し、②需給両面での「新たな計画認定制度」の創設、計画認定を受けた事業者に対する財政支援や規制の特例措置、③供給事業者が取り組むべき判断基準の策定－などで構成されています。政府としては、50年カーボンニュートラル実現に向けて、今後、脱炭素化が難しい分野においても GX（Green Transformation）を推進して、エネルギー安定供給、脱炭素、経済成長を同時に実現していくためのカギとして、水素を位置付けたということです。そのために、国が前面に立って、低炭素な水素等の供給・利用を早期に促進していくというのが、この法律案の骨子になっています。

——やはり、これからカーボンニュートラル時代を迎えて、ポイントになるのは水素なのでしょうか。

井上　それは間違いありません。水素は、IAEA などにおいても、これから多様な用途で使われる基盤材として位置付けられています。特に、代替技術が少なくて転換が困難な、Hard to Abate と言われている鉄鋼・化学などの産業分野やモビリティといった分野で脱炭素を進めていくためには、水素を有効活用する必要があります。現在、既に神戸市などで発電にも活用されていますが、現在よりも水素のコストを価格競争力のあるもの

として、いろいろな場所で水素の有効活用が実装されるようにしていくことが重要と考えています。

——すると、水素の大量生産・大量消費に誘導していく必要がありますね。

井上　難しい課題ですが、その通りです。カーボンニュートラルを実現していく上で、水素の大量生産・大量消費は避けては通れないし、切り札にもなり得る。それだけ、水素は利用できる分野が多いということだと考えています。

——定義には、「低炭素水素等」となっていますね。

井上　ここで、「水素等」とは、水素と、その化合物であるアンモニア、合成メタン、合成燃料を広く想定しています。

　また、もう一つのポイントは、「低炭素」という言葉です。例えば、一部の国では、「再生可能エネルギーから作られた水素じゃなければ駄目だ」と主張する方もいます。しかし、われわれからすると、そこは「炭素集約度」という客観的なデータで定義付けるべきであって、製造プロセスでどれだけ CO_2 を排出したか一定の数値基準を満たす水素であれば、再生可能エネルギー由来の「グリーン水素」だけではなくて、CCS による「ブルー水素」も、あるいは原子力による「ピンク水素」もさまざまなものを対象にしていくことが合理的だと考えています。この点は、昨年の G7 プ

**経済産業省資源エネルギー庁
省エネルギー・新エネルギー部長
井上　博雄**（いのうえ　ひろお）

東京都出身。東京大学法学部卒業。1994通商産業省入省、2009年経済産業省大臣官房秘書課長補佐、11年経済産業省大臣官房秘書課人事企画官（併）監察官、12年内閣府原子力被災者生活支援チーム参事官、13年（兼）復興庁参事官、15年経済産業省経済産業政策局産業再生課長、17年日本機械輸出組合・日本貿易振興機構ブリュッセル事務所長、20年経済産業省大臣官房総務課長（兼）政策審議室長などを経て、22年7月より現職。

背景・法律の概要

✓ 2050年カーボンニュートラルに向けて、今後、脱炭素燃料化が難しい分野においてもGXを推進し、エネルギー安定供給・脱炭素・経済成長を同時に実現していくことが課題。

✓ こうした分野におけるGXを進めるための切り札となるエネルギー・原材料として、安全性を確保しながら、低炭素水素等の活用を推進することが不可欠。

✓ このため、国の前面に立って、低炭素水素等の供給・利用を早期に促進するため、基本方針の策定、需給両面の計画認定制度の創設、計画認定を受けた事業者に対する支援措置や規制の特例措置を講じるとともに、低炭素水素等を供給する事業者が取り組む基盤の安定的な確保の措置を講じる。

1. 基本方針の策定

(1) 定義

① 「低炭素水素等」：水素等であって、
② その製造に伴って排出されるCO2の量が一定の値以下
③ CO2の排出量の算定に関する国際的な決定に照減して、その利用が我が国のCO2の排出量の削減に寄与するもの等の経済産業省令で定める要件に該当するもの

※「水素等」：水素及びその化合物であって経済産業省令で定めるもの（アンモニア、合成メタン、合成燃料を想定）

(2) 基本方針の策定

・主務大臣は、関係行政機関の長に協議した上で、低炭素水素等を エネルギー・原材料として利用して計画を作成し、主務大臣に提出。

・基本方針では、①低炭素水素等の供給・利用に関する意義・目標、②GX実現に向けて重点的に実施すべき内容、②GX実現に向けた自立的な供給に向けて取り組む内容等を記載。

(3) 国・自治体・事業者の責務

・国は、低炭素水素等の供給・利用の促進に関する施策を総合的かつ効果的に推進する責務を有し、規制の見直し等の必要な事業環境整備や資金確保を講じる。

・自治体は、国の施策に協力し、低炭素水素等の供給・利用の促進に関する施策を推進。

・事業者は、安全を確保しつつ、低炭素水素等の供給・利用の促進に資する設備投資等を自立的に行うよう努める。

2. 計画認定制度の創設

(1) 計画の作成

・低炭素水素等を国内で製造・輸入して供給する事業者や、低炭素水素等を エネルギー・原材料として利用する事業者が、単独又は共同で計画を作成し、主務大臣に提出。

(2) 認定基準

・先駆的で自立が見込まれるサプライチェーンの創出・拡大に向けて、かつ、低炭素水素等の供給・利用が継続的に行われることを共同計画であること。

① 計画が、経済的な合理性があり、かつ、低炭素水素等の双方が運営する又は計画と認める場合に、

② 「価格差に着目した支援」に照らして妥当なものであること。
（i）供給事業者と利用事業者が一定期間以上継続的に行われること。

（ii）低炭素水素等の供給が一定期間内に開始される等、一定期間以上継続的に行われること。

（iii）利用事業者が、低炭素水素等を利用するための新たな設備投資等の事業革新を行うことが見込まれること。

③ 港湾・貯蔵タンク等を整備する場合等、道路等が、低炭素水素等を利用する港湾計画、道路等の事情等に適切に照らして適切であること。　等

(3) 認定事業者に対する措置

① 【価格差に着目した支援】
（新法エネルギー・金属鉱物資源機構（JOGMEC）による助成金の交付）による助成金の交付
（i）供給事業者が低炭素水素等を継続的に供給するために必要な資金を支給する。
（ii）認定事業者は事業環境の整備に資するための助成金を支給する。

② 【供給体制に着目した支援】
認定計画に基づく設備の整備に対し、経済産業大臣が一元的に保安確保のための許可等を検査確認を実施し、高圧ガス保安法の認定高度保安実施者（事業者による自主保安）に移行可能。

③ 港湾法の特例
認定計画に従って行われる港湾法の許可・届出を要する行為（水域の占用、事業場の新設等）について、許可があったものとみなす。

④ 道路占用の特例
認定計画に従って敷設される導管について道路占用の申請があった場合、一定の基準に適合するときは、道路管理者は占用の許可を与えなければならないこととする。

3. 水素等供給事業者の利用開始基準の策定

・経済産業大臣は、低炭素水素等の供給を促進するため、水素等供給事業者（水素等を国内で製造・輸入する事業者）が取り組むべき基準（判断基準）を定め、低炭素水素等の供給拡大に向けた事業者の自主的取組を促す。

・経済産業大臣は、必要があると認めるときは、水素等供給事業者に対し指導・助言を行うことができる。また、一定規模以上の水素等供給事業者の取組状況が著しく不十分である気・ガス・石油・製鉄・製造・運搬等の産業分野の低炭素水素等の利用を促進するための制度の在り方について検討し、所要の措置を講ずる。

場合、当該事業者に対し勧告・命令を行うことができる。

「脱炭素成長型経済構造への円滑な移行のための低炭素水素等の供給及び利用の促進に関する法律案」（水素社会推進法）の概要

（出典：経済産業省）

ロセスでも支持されています。

「ファーストペンギン」として取り組む企業を「水素等」サプライチェーン全般にわたって支援する法制度として設計

——「水素社会推進法」の「基本方針」についてもご説明いただけますか。

井上　同法案の「基本方針」には、①「低炭素水素等」の供給・利用拡大の意義・目標②GX実現に向けて重点的に実施すべき政策の内容③「低炭素水素等」の自立的な供給拡大に向けた取り組みなどを記載し、主務大臣は、関係行政機関の長に協議した上で「基本方針」を策定する、としています。つまり、中長期的な政策の予見可能性を高め、大胆な投資を行いやすい環境を創るため、経産省だけではなくて、国土交通省、環境省など政府全体で今後の方向性を明確に示すことにしたわけです。

——**国・地方自治体・事業者の責務も明記されています。**

井上　国は、「低炭素水素等」の供給・利用の促進に関する施策を総合的かつ効果的に推進する責務を有し、規制の見直しなどの必要な事業環境整備や支援策を講じるとしています。

　地方自治体の皆さんには、国の施策に協力いただき、「低炭素水素等」の供給・利用の促進に関する施策を推進することをお願いしています。「水素等」は、供給サイドだけではなく、利用サイドも裨益（ひえき）するというか、メリットは、利用する側にも生まれてくるということがとても重要で、さまざまな場で新しいビジネスチャンスが広がるということだと考えています。こうしたことを、今までの強みを生かして、どう「まちづくり」・「地域づくり」に生かしていくかについて、ぜひお考えいただきたいですし、国としても、一緒に取り組みたいと考えていますので、どんどんご相談いただきたいと思います。

　また事業者の皆さんには、カーボンニュートラルの実現という世界的な課題解決に向け、グローバルに広がっていく「水素等」の利活用を、それこそ大きなビジネスチャンスと捉えていただき、安全を確保しつつ、官民で力を合わせ、「低炭素水素等」の供給・利用の促進に資する投資を大胆

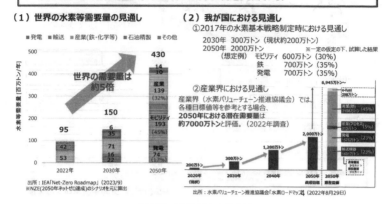

水素等の需要量の見通し

（出典：経済産業省）

に行っていただきたいと考えています。

——本書でも、例えば座談会などを通じて、民間企業から国に対する要望として、「国として水素をどのように位置付けるのかきちんと明示してほしい」という声が圧倒的でした…。

井上　そこは、われわれも認識しています。現状、「水素等」のコストは、化石燃料よりも高くつくわけです。従って、このまま市場に任せておけば、民間の皆さんが「水素等」を使う、あるいは生産するといった両面において、なかなか大胆な投資には踏み込めないということが懸念されます。「ファーストペンギン」として取り組む企業を、「水素等」サプライチェーン全般にわたって支援できる法制度として設計していますので、ぜひ投資に踏み込んでいただきたい、そのための環境を創り上げるというのが、この法律案の重要な目的と言えると思います。

現状コストの高い水素等の価格をどう下げていけるか

—— IEAでは、2050年までの「水素等」の需要量の見通しは現状の約5倍の約4.3億トンと予想され、その内訳を見ると、発電は17％、モビリ

ティは45%、産業は32%となっています。こうした中で、わが国における「水素等」の見通しはどのようになっていくのでしょうか。

井上　17年に「水素基本戦略」を策定した段階での見通しは、20年が約200万トンで、2030年時点で300万トン、2050年は約2000万トンを目標としていました。

　世界が5倍の中で10倍になっているわけですが、実は日本の産業界の中には、もちろん「水素等」のコストが下がるという前提の上ではありますが、7,000万トンもの潜在需要があるとの声もあります。

　国としても、こうした需要への予測は、明らかにしていく必要があると考えています。

——やはり、カギは、水素のコストをどう下げるかということになりそうですね。

井上　ご指摘の通りです。現状コストの高い「水素等」をどのようにして中長期的に持続可能な形で利活用できるようにしていくかという課題について、今回の法案では、特徴的に、「新しい計画認定制度」を取り入れようとしています。ポイントは、エネルギー安全保障の観点から国内で製造される「水素等」を重視しつつ、海外から輸入する「水素等」も対象とし、先行的で、自立が見込まれるサプライチェーンを創出・拡大していくための計画としている点です。また、一定の地理的な広がりを対象とし、面的に、供給者だけではなく、利用サイドも連名で、上流から下流まで、どうやって「水素等」を製造し、運び、利用するのかという、言わば一気通貫の計画としているところが肝になっています。

——確かに通常は、こうした計画は、供給サイドだけの計画になりますが、利用サイドも含んだ計画にしているのが特長と言えますね。

井上　供給サイドとしては、国内、あるいは海外のどこでどうやって製造されて運ばれるのかが明らかとなり、コストや供給安定性、そしてサプライチェーンで使われるテクノロジー・製品・サービスとその強靱性がクリアになるというわけです。

——GXの観点からも、本邦関係の企業が、そのテクノロジーを使ってど

こまで新たな成長を見出せるのかということが明らかになる、と。

井上　その通りです。また、利用サイドについても、「水素等」は、当初はコストもかかる希少な資源という側面も持つわけですが、「どこでもいいから使っちゃおう」というよりは、今後の中長期を見据えて、どこで「水素等」を使っていくことが、この国の経済・産業構造の未来にとって望ましいのかということを見極めながら、支援する計画を決めていくこともできます。

　例えば、モビリティに関して言うと、現在、EV化が進んでいますが、特にトラックやバスなど大型を中心とする商用車は、FCV（Fuel Cell Vehicle/ 燃料電池自動車）の有効性が発揮しやすいと考えられており、基幹的な物流などネットワークに重点的に利活用する計画が想定されます。空港や港湾など特定のフィールドで動くモビリティに関しても同様です。

──今、井上部長が説明された幾つかの事例の優先順位を、この法律の中で規定していくということになるのでしょうか。

井上　法律案では、計画の認定基準が記載されています。計画が、経済的かつ合理的であって、「水素等」に関わるわが国産業の国際競争力強化に寄与すること、いわばエネルギー政策とGX政策、両方の観点から特に優れた計画から認定し、支援していく仕組みです。

──計画は、国が認定していくことになるのでしょうか

井上　国が認定していきます。計画の認定を受けると、「価格差に着目した支援」と「拠点整備支援」が受けられるようになります。価格差に着目した支援は、「低炭素水素等」と化石燃料との差額の全部又は一部を15年間にわたり支援するもので、GX経済移行債から３兆円を有効活用していければと考えています。また、拠点整備支援は、「水素等」拠点のパイプラインなど共用設備投資に対する支援で、具体的な支援内容を予算要求する方向です。

　加えて、この認定を受けると、法律による規制の特例措置が受けられるようになります。一つは、「高圧ガス保安法」です。さらに、「港湾法」、「道路法」の規制などについて、安全を確保しつつ、スピーディーに、コ

スト効果的にプロジェクトが進められるような特例が入っているというのが、この計画認定制度になっています。

国際社会の中で、日本がどのようにイニシアチブを取れるのか

——2023年6月に改定された「水素基本戦略」と今回の「水素社会推進法案」によって、水素に関するわが国の基本方針が定められたと言えそうですが、今後欧米はじめアジアなど世界でも「水素等」の需要は高まるわけですから、先ほどご説明された定義をはじめさまざまな国際合意が必要になってくるのではありませんか。

井上　ご指摘の点は、われわれも非常に大切な観点だと考えています。「何をクリーンな『水素等』と見るか」については、わが国は、「水素社会推進法案」における「低炭素水素等」の定義を、G7での合意を踏まえ、「炭素集約度」に基づいて「まず日本はこうしてやりますよ」ということを対外的に明らかにしたわけです。つまり「こういうルールにのっとって、クリーンだと評価して、国内で利活用を進め、海外からも輸入しますよ」というメッセージが込められているわけですから、一定の発言権・影響力を発揮していくべきと考えています。

——17年の世界初の「水素基本戦略」以来、水素に関して日本は世界の先頭集団を形成していたわけですから、世界の中でイニシアチブを取っていただけるよう頑張っていただきたいと思います。

井上　ありがとうございます。23年6月の「水素基本戦略」の改定、今回の「水素社会推進法案」によって、国が本気で「水素等社会」を推進し、エネルギー安全保障を確保しつつ50年カーボンニュートラルを実現していく考えであることを、広く自治体や事業者の皆さまにご理解いただき、現実に、先行的で自立が見込まれるサプライチェーンを創出・拡大していきながら、国際社会でのルールメイキングへの発言権の拡大にも努めていきたいと考えています。

国土交通省港湾局

2050年カーボンニュートラルに向けた港湾における取り組み

はじめに

——2050年カーボンニュートラルに向け、港湾ではどのような取り組みをされていますか。

稲田　港湾においては、今から対応していかなければならない喫緊の課題として、大きく三つの政策に取り組んでいます。

　1点目は、脱炭素化に配慮した港湾機能の高度化や「水素・アンモニア等」の受け入れ環境の整備などを図る「カーボンニュートラルポート」の形成です。

　2点目は、わが国の再生可能エネルギーの主力電源化の切り札とされる洋上風力発電について、港湾区域内および一般海域の促進区域を活用した導入促進に取り組んでいます。

　3点目は、どんなに温室効果ガスの排出削減に取り組んでも、どうしてもゼロにできない部分が残りますので、吸収源対策も必要です。このため、港湾工事で発生した土砂を活用して干潟・藻場を創出するなど、ブルーカーボン生態系の活用に取り組んでいます。

カーボンニュートラルポートの形成

——まず、2050年にわが国がカーボンニュートラルを実現していく上で、カーボンニュートラルポート（CNP）が大きな役割を担っていると言われています。CNPのこれまでの動きについてご説明ください。

稲田　カーボンニュートラルを目標とする国や地域が増加し、世界共通の目標とも言える状況です。わが国も50年カーボンニュートラルを国際公約として掲げており、これを実現するためには、わが国のCO_2排出量の約6割を占める発電所・製油所、鉄鋼、化学工業の多くが立地する港湾・臨海部の脱炭素化が不可欠であり、港湾において率先して取り組んでいくこととしました。

　発電所や産業では、温室効果ガスの排出量の大きい原燃料が使用されており、脱炭素化のためには、「水素・アンモニア等」の低炭素な原燃料に転換していくことが不可欠です。そして、「水素・アンモニア等」を大量かつ安価に導入するためには、受け入れ、貯蔵し、供給する物流の拠点となる港湾が大きな役割を担います。

　また、50年カーボンニュートラルを目標に掲げる以上、港湾自体から排出するCO_2の削減にも取り組まなければなりません。加えて、近年の世界的な脱炭素化の潮流の中で、サプライチェーンの脱炭素化に取り組む荷主などの要請に対応して、港湾施設の脱炭素化などの取り組みを進めることが、荷主や船社から選ばれる、競争力のある港湾の形成にもつながっていくと考えています。

　このような背景を踏まえ、わが国の港湾や産業の競争力を強化し、脱炭素社会の実現に貢献するため、脱炭素化に配慮した港湾機能の高度化や「水素・アンモニア等」の受け入れ環境の整備などを図るカーボンニュー

国土交通省港湾局長
稲田　雅裕（いなだ　まさひろ）
1965年生まれ・九州大学工学部卒業、九州大学大学院工学研究科修了・90年運輸省入省、2018年九州地方整備局副局長、20年国立研究開発法人海上・港湾・航空技術研究所理事、21年東北地方整備局長、22年中部地方整備局長、23年7月より現職。

トラルポート（CNP）の形成を推進しています。このうち、脱炭素化に配慮した港湾機能の高度化については、低炭素型の荷役機械の導入や、船舶に低炭素燃料であるLNGを供給するバンカリング拠点の形成などを進めています。また、官民の主体による脱炭素化の取り組みを後押しするため、まず、コンテナターミナルにおける脱炭素化の取り組みを客観的に評価する認証制度「CNP認証（コンテナターミナル）」の創設に向けた検討も行っています。

　また、官民一体となってカーボンニュートラルポートの形成を着実に推進するための枠組みとして、2022年に港湾法を改正し、港湾管理者が官民連携の港湾脱炭素化推進協議会を組織し、港湾脱炭素化推進計画を作成できる制度を設けました。現在（24年2月19日時点）、全国の77の港湾において協議会などが開催されており、港湾における脱炭素化の取り組みを定める計画の作成と実施に関し、協議が行われています。

――これから50年に向けて、どのようにCNPを形成されていくのか展望をお聞かせください。

稲田　多くの港湾で協議会が開催され、計画の策定も進んでいます。23年度末までには、20を超える港湾脱炭素化推進計画が作成・公表される見込みです。今後は、各港において作成された計画に基づき、具体的な取り組みを着実に進めていくことが重要になってきます。

　最近は、二国間や多国間のさまざまな枠組みで、グリーン海運回廊の形成に取り組む動きが出てきています。海上輸送と港湾の脱炭素化で実現されるグリーン海運回廊は、サプライチェーンの脱炭素化の取り組みのショーケースと言えます。わが国の輸出産業などのサプライチェーンにおいて重要な役割を持つ北米・欧州方面などの国際基幹航路でグリーン海運回廊の形成に積極的に取り組むことは、荷主などの脱炭素化の取り組みに貢献するだけでなく、国内外からの貨物の集荷、ひいては国際基幹航路の維持・強化にもつながるのではないかと思います。このような観点から、わが国における国際基幹航路ネットワークの拠点である国際コンテナ戦略港湾（京浜港・阪神港）などにおいて、荷役機械の脱炭素化や、船舶への

脱炭素燃料の供給機能の導入について、率先して取り組んでいくべきと考えています。24年2月から横浜港と神戸港のコンテナターミナルで、水素を燃料とする荷役機械の現地実証を開始しました。25年度から実際の荷役で使用する現地実証を予定しています。世界的な脱炭素化の潮流の中でこのような取り組みを行うことは、国際コンテナ戦略港湾をはじめとした各港湾の競争力を強化するチャンスだと捉えています。

　また、港湾・臨海部に集積する発電所や産業の脱炭素化のためには、これらの産業などで使用されている原燃料の転換や、産業構造そのものが転換し、港湾で取り扱われる貨物を含め、港湾の使われ方が大きく変わっていくことが不可欠です。これまで、石油や石炭でつながっていた重化学工業など、すなわちコンビナートが、水素やアンモニアでつながるコンビナートへの転換を目指す動きも出てきています。港湾・臨海部に立地する産業などのこのようなニーズに対応し、「水素・アンモニア等」を受け入れ、貯蔵し、供給する拠点を形成するために必要となる港湾施設の整備をはじめ、港湾における所要の環境整備を計画的に進めていくことが、物流の拠点である港湾の重要な役割だと考えています。

――港湾における脱炭素化の取り組みは世界的にも大きく注目されています。世界のCNPへの動きについても教えてください。

稲田　特に欧米の港湾などで、ターミナル自体の脱炭素化や、船舶への脱炭素燃料の供給の取り組みが行われています。

　24年1月から、欧州排出量取引制度（EU-ETS）が海運セクターにも拡大され、海運会社は、EUに関連する航海において排出枠の購入が必要となりました。こうした規制を背景に、船社の脱炭素燃料に対する関心が高まっていると感じます。アントワープ港、シンガポール港、上海港などでは、最近、注目を浴びているメタノール燃料を船舶に供給する取り組みが行われています。

　アメリカのロサンゼルス港は、世界でも脱炭素化の取り組みが先行している港湾の一つと言えます。同港は06年に大気汚染防止を目的とするクリーンエアアクションプランを定め、停泊中の船舶のアイドリングストッ

プのため、陸上からの電力供給などに取り組んでいます。現在は、脱炭素化も目的として、陸上電力供給のほか、荷役機械や、港湾に出入りするトラックのゼロエミッション化にも取り組んでいます。国土交通省は、アメリカ・カリフォルニア州運輸省（CalSTA）と共催で、23年10月にロサンゼルスで港湾の脱炭素化などに関するシンポジウムを開催しました。私も現地参加し、水素燃料電池で動く荷役機械やトラックも視察してきました。水素燃料化も含め、多様な脱炭素化の手段が検討されていることを目の当たりにしました。

──特に、水素やアンモニアの大規模サプライチェーンの構築に向け、これらの受け入れ拠点となる港湾の整備に取り組んでいかれると思いますが、現状や課題、展望についてお考えをお聞かせください。

稲田　経済産業省では、「低炭素水素等」の大規模なサプライチェーンの構築のため、価格差に着目した支援制度や拠点整備のための支援制度について検討を行っています。いわゆる水素社会推進法により、この支援措置や港湾法の特例を含む規制の特例措置など、「低炭素水素等」の供給・利用を早期に促進するための措置が講じられることになると思います。

　港湾を拠点として供給し、利用するサプライチェーンも想定されることから、港湾における受け入れ環境の整備を進める必要があります。既に神戸港では、オーストラリアで製造した水素を液化して輸入し、港湾内に設置したタンクに貯蔵する実証事業を実施した実績があります。一方、50年カーボンニュートラルに向けては、より大規模なサプライチェーンの構築が必要となります。川崎港では、グリーンイノベーション基金事業により実施されている液化水素サプライチェーンの商用化実証事業の受け入れ基地として川崎臨海部が選定されたことを受けて、製鉄所の高炉などの休止により新たに生まれる広大な土地の利用転換の柱に、カーボンニュートラルエネルギーの供給拠点の形成を位置付けています。また、衣浦港に立地する既存の石炭火力発電所では、アンモニアを混焼する実証事業が進められています。

　当面は、こうした取り組みを踏まえて、大量に輸入することも想定され

る水素やアンモニアの安全な荷役の検討や効率的な海上輸送体系の構築を進め、その上で、「水素・アンモニア等」の拠点を形成するために必要となる港湾施設の整備をはじめとする所要の環境整備を進めていきます。

洋上風力発電の導入促進

——洋上風力発電は再エネ主力電源化の切り札とも言われていますが、現状と展望について教えてください。

稲田　港湾局では、洋上風力発電の黎明期とも言える時代であった2016年に港湾法を改正し、港湾区域内における洋上風力発電導入に向けた公募占用制度を導入しました。19年にはいわゆる「再エネ海域利用法」を施行し、一般海域における洋上風力発電導入制度を整えるなど、関係省庁と連携しつつ、洋上風力発電の導入をけん引してきました。その成果として、24年1月には石狩湾新港内でわが国2カ所目の大型洋上風力発電事業が運転を開始したところです（1カ所目は秋田港・能代港）。

　こうした制度の整備・運用に加えて、洋上風力発電設備の整備・維持管理の拠点となる「基地港湾」の整備を進めており、全国で5港を指定しています。必要なインフラを必要な時期にしっかりと用意する計画的整備により、洋上風力発電設備の導入環境を整えて参ります。こうした拠点となる港湾施設は、洋上風力発電の立地による地域への貢献という観点からも非常に効果があります。すでに洋上風力発電が運転開始した秋田港・能代港、石狩湾新港では、メンテナンス企業などの関連企業の進出や人材育成の取り組み、再エネ電力を活用する企業誘致の促進など、港湾を核とした地域の活性化が進んでいます。このような基地港湾を核とした波及効果が各地で生まれるよう取り組んでいきたいと考えています。

　現在、一般海域への洋上風力の展開については、さまざまな関係者にご理解いただきながら進めています。この先、洋上風力発電の導入をさらに促進するためには、一般海域に限定するのではなく、より多くの方々にご理解いただいた上で、排他的経済水域への展開を見据えた検討も必要と認識しています。沖合に出れば水深が深くなりますので、浮体式の風車とな

り、一段と大型化が進むことになります。これに伴って港湾に求められる機能が変化、多様化する可能性があります。一方で、大型の浮体式洋上風力発電については、浮体式特有の技術的課題を研究する必要があると考えています。このため、官民が連携した「洋上風力の産業競争力強化に向けた浮体式産業戦略検討会」や「洋上風力の導入促進に向けた港湾のあり方に関する検討会」などの場での議論・検討を通じて課題を整理した上で、時機を失することのないよう、さまざまな関係者のご理解を得ながら、関係省庁と連携の上で必要な政策に取り組んでいきたいと考えています。

ブルーカーボン生態系の活用

——港湾における吸収源対策として、ブルーカーボン生態系の活用とブルーインフラの拡大についても取り組まれていると伺いました。

稲田　ブルーカーボンは多面的な価値を有し、地球温暖化対策、生物多様性の確保、「サーキュラーエコノミー」の移行への貢献などの観点から、世界的に注目されているものです。港湾局では、交通輸送機能などに支障のない場所を利用して、従来から浚渫土砂などを活用した海域環境の改善の取り組みなどを行ってきました。このほか、2022年度からは、ブルーカーボン生態系を活用した二酸化炭素吸収源の拡大によるカーボンニュートラルの実現への貢献や、生物多様性による豊かな海の実現を目指して、「命を育むみなとのブルーインフラ拡大プロジェクト」に取り組んでいます。

　藻場・干潟や多様な海洋生物の定着を促す港湾構造物などを「ブルーインフラ」と位置付け、全国の海への展開を目指し、その環境整備などの取り組みを短期集中的に進めるものですが、具体的には、藻場・干潟の担い手となる主体については、複数の組織が連携する必要がありますので、担い手同士を結び付ける機会を国が創出したいと考えています。これが実現すれば、グローバルな企業でもローカルな活動と結び付くようになると期待しています。また、フィールドの管理者と担い手を結び付ける仕組みも検討しています。

　こうした取り組みを通じて、港湾のみならずわが国の海で、ブルーカーボンの活用が進むことを期待しています。

おわりに

――カーボンニュートラルに向けた港湾における取り組みをめぐっては、地方自治体も大きな期待を寄せています。地方自治体首長に向けてのメッセージがあればお聞かせください。

稲田　先ほども申し上げた通り、カーボンニュートラルの実現に不可欠な「水素・アンモニア等」をしっかり受け入れる環境を、物流の拠点である港湾において整備することが重要と考えています。そのためには需要が見えてくることが必要です。港湾管理者が開催する港湾脱炭素化推進協議会が、需要の見える化や、供給側とのマッチングなどの場となりますが、各地域で、あるいは内陸部や二次輸送先の港湾を含む広域で、官民が連携して需要と供給をつなげていくためには、首長の皆さまのリーダーシップが必要だと思っています。カーボンニュートラルの実現に向けた明確な将来ビジョンを描いて、港湾を活用した取り組みを力強く引っ張っていただければ幸いです。国土交通省港湾局としても、しっかり応援してまいります。

　また、DX・GX など新たな分野を担う人材の育成も重要だと考えています。建設や物流などの人出不足を補う切り札とされる DX・GX についても、その人材が足りない状況です。今後、洋上風力発電の導入に伴い、メンテナンスを含めた関連産業が急速に集積することも考えられます。一方で、藻場や干潟におけるブルーカーボン生態系の活用には、地域のNPO 法人などの担い手を確保することも必要です。このような地域の状況について、小学校や中学校の頃から学び、関心を持つ機会を設けるなど、地域のための人材育成にリーダーシップを発揮していただけたら幸いです。

――ありがとうございました。

国土交通省道路局

水素等の輸送管敷設を円滑に進め、カーボンニュートラルに貢献する
——水素社会推進法案の「道路占用の特例」

「道路占用の特例」とはどのようなものか

　「脱炭素成長型経済構造への円滑な移行のための低炭素水素等の供給及び利用の促進に関する法律案」（いわゆる「水素社会推進法案」）の第31条第2項に、「道路占用の特例」というものがあります。この特例の内容は、「認定計画に従って敷設される導管について道路占用の申請があった場合、一定の基準に適合するときは、道路管理者は占用の許可を与えなければならないこととする」というものです。水素社会推進法案は経済産業省が中心となって進めていますが、道路占用の特例については国土交通省の所掌となりますので解説をさせていただきます。

　そもそも道路とは、「一般交通の用に供するためのインフラ」という目的を持っています。他方で、道路を中心に生活圏が形成されたり、経済活動が行われる側面もあり、全国にネットワークが張り巡らされていることから、道路には電気・水道・ガスなどのライフラインを収容するための場としての役割も求められています。

　道路上に郵便ポストを設置したり、道路下に水道管、ガス管、地下鉄などを設置し、継続的に道路を使用することを「道路の占用」といいます。道路法第32条第1項では、「工作物、物件又は施設を設け、継続して道路を使用しようとする場合においては、道路管理者の許可を受けなければならない」と定められています。今後、社会の脱炭素化を進めるためには、「水素等」の輸送管を道路に敷設する必要が生じることも想定されますが、

【現行】水素等の輸送管について、道路空間の占用を許可するかについては、道路管理者に一定の裁量の余地が認められており、許可されない可能性がある。

【特例】主務大臣（経産大臣・国交大臣）が認定した計画に従って敷設される輸送管については、技術的基準に適合する場合、道路管理者は占用の許可を与えなければならないこととする。

※ 予め関係する道路管理者の意見聴取を実施した上で認定。

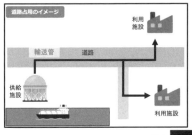

輸送管のイメージ（関東経済産業局資料）

本措置により、低炭素水素等の輸送管の円滑な整備を促進

道路占用の特例〜道路占用許可の円滑化〜

（出典：国土交通省）

敷設する際には道路管理者の占用の許可が必要となります。

　この占用の許可には道路管理者に一定の裁量の余地が認められていますが、一方で「水素等」を利用する民間事業者側からすれば、道路管理者の判断に時間がかかる、最終的に許可が出ない、などの事態が考えられることから、「円滑に道路利用が可能になる仕組みにしてほしい」という意見がありました。2050年カーボンニュートラルを目指す政府は、「低炭素の

国土交通省道路局
路政課長

高藤　喜史（たかふじ　よしふみ）

1974年生まれ。東京大学法学部卒業。1996年建設省入省、2015年国土交通省大臣官房総務課企画官、16年道路局総務課高速道路経営管理室長、18年土地・建設産業局地籍整備課長、20年住宅局住宅企画官、22年7月より現職。

水素等」をいかに活用するかが脱炭素化の重要課題と捉えています。今後、「水素等」の大規模サプライチェーンを構築し、「水素等」を円滑に供給しやすくするためには、道路も一定の役割を果たすことが重要です。そこで前述の事業者側の要望なども踏まえて、本特例を設け、あらかじめ事業者側が供給などの計画を策定して、輸送管を敷設する場所などを記載し、それを主務大臣（経済産業大臣、国土交通大臣）が認定することとしました。この主務大臣が認定した計画に従って敷設される輸送管については、技術的な基準をクリアしているのであれば、道路管理者に占用の許可を義務付けることになります。

道路管理者の意見を聞いた上で計画を認定

　もちろん、敷設計画の認定はあらかじめ関係する道路管理者のご意見をお聞きした上で行うことになっています。例えば、地方道などの道路管理者は、県・市などの自治体です。道路管理者から「この道路は構造上、輸送管を通すのは難しい」というご意見があれば調整した上で計画を認定していくこととなります。ちなみに、過去にこのような特例を設けた法律には、石油パイプライン事業法があります。

　「道路管理者に占用の許可を義務付ける」と聞くと、「現場の道路の状況を反映せずに設置を許可しなければならなくなるのではないか」とご心配される方がいるかもしれませんが、前述のようにしっかりと道路管理者のご意見をお聞きした上で、国土交通大臣として判断させていただきます。また、水素と聞くと危険なイメージを持たれる方もいらっしゃいますが、輸送管に関しては一般的なガス管などと同様に、経済産業省、総務省のルールに基づき、安全性が担保されたものが敷設されることとなるため、ご心配される必要はありません。道路管理者にあっては、本特例制度をご理解いただき、その円滑な運用にご協力をいただければありがたいと考えています。

〇政府目標である「2030年度において、温室効果ガスを2013年度から46％削減、2050年カーボンニュートラルの実現」を達成するため、道路分野においても、2030年度に2013年度から35％以上削減する必要。新技術の開発や交通需要マネジメント等を総動員し、4つの柱で取組を実施。
※地球温暖化対策計画において、2030年度における温室効果ガスの削減目標値として、運輸部門35％、産業部門38％、業務その他部門51％が示されている。

(1)道路交通の適正化
〜旅行速度の向上と車両の低速化による適正化〜

・道路ネットワークの整備や渋滞対策等により、道路交通の円滑化と生産性の向上を図るとともに、生活空間の道路交通の低速度化等、当該道路に求められる役割を踏まえた適切な機能分化を推進し、場所に応じた適正な移動により、CO_2の排出量を削減

渋滞対策等により旅行速度を向上させ、CO_2排出量を削減

(2)低炭素な人流・物流への転換

・新たなモビリティや、公共交通、自転車、徒歩等の低炭素な交通手段の利用を促進することで、自動車から低炭素な交通手段への転換を進め、CO_2の排出量を削減
・道路の面から輸送量の向上、効率化の取組を支え、低炭素な物流システムの構築を促進することで、CO_2の排出量を削減

新たなモビリティの導入

(3)道路交通のグリーン化

・再生可能エネルギーの活用の潮流を踏まえ、関係省庁・部局と連携し、次世代自動車の開発及び普及を促進させるとともに、道路空間における発電・送電・給電・蓄電の取組を推進することで、道路交通のグリーンエネルギーへの転換を進め、CO_2の排出量を削減

EV充電施設の設置の促進

(4)道路のライフサイクル全体の低炭素化

・道路の計画・建設・管理等におけるライフサイクル全体で排出されるCO_2の排出量を削減

LED照明の導入を推進

道路におけるカーボンニュートラル推進戦略の四つの柱

（出典：国土交通省）

国土交通省の「道路におけるカーボンニュートラル推進戦略」

　国を挙げてカーボンニュートラルを進めていく上で、水素インフラは今後、大変重要な役割を果たしていきます。国土交通省としても、道路空間を上手く利活用していただくことは非常に重要なことと考えており、今般の水素社会推進法案の道路占用の特例についても、法案の趣旨にのっとり、適切に道路を活用していただきたいところです。

　国土交通省では現在、「道路におけるカーボンニュートラル推進戦略」として、①道路交通の適正化（渋滞を減らし、CO_2排出量を削減）、②道路のライフサイクル全体の低炭素化（道路の計画・建設・管理などを通して排出されるCO_2量を削減）、③低炭素な人流・物流への転換、④道路交通のグリーン化を4本の柱に据え、方針をまとめているところです。水素利用のために道路を使っていただくのも、カーボンニュートラルに貢献する取り組みの一つと言えます。民間事業者や道路管理者の皆さまには、本法案の特例を上手に活用し、カーボンニュートラルにつなげていただければありがたいと考えています。

環境省

2050年カーボンニュートラル（CN）・グリーントランスフォーメーション（GX）実現に向けた環境省の役割

　2023年、日本はG7議長国として広島サミットや札幌気候・エネルギー・環境大臣会合を開催し、50年ネットゼロの達成に向けた決意を改めて確認しました。23年末のCOP28は、パリ協定ができてから初めて、5年ごとに世界全体の気候変動対策の進捗状況を確認する仕組みである「グローバル・ストックテイク」がまとめられ、節目のCOPだったと言えます。わが国は、温室効果ガス排出量を21年度で約20％削減し、着実に対策が進捗していることを発信しつつ、各国に対し、1.5℃目標達成に向け、30年までの行動が決定的に重要であること、50年ネットゼロの達成、25年までの世界全体の排出量ピークアウト、全ての部門・全ての温室効果ガスを対象とした総量削減目標の策定などを訴えました。また、ネットゼロへの道筋に沿って、エネルギーの安定供給を確保しつつ、排出削減対策が講じられていない新規の国内石炭火力発電所の建設を終了していく旨も表明しています。わが国として多様な道筋の下で具体的な行動を取るべきことを各国に訴え、各国の意見に違いがある中、立場を乗り越えてCOP決定の合意に至ったことの意義は大きいと思います。

　COP決定には、世界全体で再エネ発電容量3倍・省エネ改善率2倍、排出削減対策が講じられていない石炭火力発電の逓減加速、エネルギーシステムにおける化石燃料からの移行、再エネ、原子力、CCUSなどの排出削減・炭素除去技術、低炭素水素、メタンを含む非CO_2ガスについて30年までの大幅な削減の加速、交通分野のZEV・低排出車両の普及を含む多様な道筋を通じた排出削減など、主としてエネルギー関係の事項ととも

に、パリ協定6条（市場メカニズム）の活用、都市レベルの取り組みの重要性、循環経済アプローチを含む持続可能なライフスタイルへの移行、自然・生態系保全の重要性などが盛り込まれたことは注目すべき点です。

　COP決定に基づき、25年には次の削減目標（NDC）を提出することとされており、わが国としても今年からその議論を始める必要があります。地球温暖化対策計画などの改定にもつながる議論です。足元でも、徹底した省エネ、再エネを最優先の原則で最大限導入するなどの国内の取り組みを加速し、現行の目標である50年ネットゼロ、30年度46％削減の実現を目指し、50％の高みに向けた挑戦を続けていきます。

　地球温暖化対策計画においても環境・経済・社会の統合的向上という視点は盛り込まれていますが、22年7月にGX実行会議が設置され、排出削減に加え、わが国の産業競争力強化・経済成長を同時に実現することを強く打ち出すGXの取り組みが始まっています。23年2月には政府として「GX実現に向けた基本方針」を閣議決定しました。

※その後、5月に「脱炭素成長型経済構造への円滑な移行の推進に関する法律」が成立し、7月に同法に基づく、「脱炭素成長型経済移行推進戦略」が閣議決定された。

　その中で、需要側からのGXの推進として、「地域・くらしのGX」、「中堅・中小企業のGX」が位置付けられました。また、「住宅・建築物分野のGX」として、省エネ性能の高い住宅・建築物の新築や省エネ改修に対する支援などを強化することなどが明記されています。

　わが国全体のGX実現には、GX関連製品のサプライサイドにおける取

環境省地球環境局
地球温暖化対策課長
吉野　議章（よしの　のりあき）

1997年環境庁入庁。大臣官房総務課広報室長、環境再生・資源循環局放射性物質汚染廃棄物対策室長、内閣官房内閣参事官を経て、2023年7月より現職。

地域脱炭素の基盤となる重点対策の加速化　　　（出典：環境省）

り組みだけでなく、GX市場創造に向けたディマンドサイドにおける取り組みにより、バリューチェーン全体でのGX投資を促進していくことが重要です。環境省としては、地域の脱炭素への移行を推進するため、地域脱炭素推進交付金を拡充し、30年までにネットゼロを前倒しで実現することを目指す脱炭素先行地域と、脱炭素の基盤となる重点対策を通じてGXの地域実装を後押しし、また、株式会社脱炭素化支援機構による資金供給を通じてGX分野における民間投資の拡大を図ります。大切なのは、地域の脱炭素化と地域活性化などの地域課題解決の同時達成を図る視点です。また、住宅や建築物などの家庭・業務部門、自家用乗用車などの運輸部門など、くらしに深く関連する分野において、排出削減と経済成長・産業競争力強化の観点から効果の高い投資を進めていきます。さらにはいわゆる「Scope3」（事業活動の上流における原材料の調達や製品の輸配送に伴う排出、下流における製品使用や廃棄による排出など）の排出削減に貢献する「物流」「資源循環」におけるGX投資も推進していきます。

　そして、暮らしの側からCN・GXに向けた国民・消費者の行動変容、ライフスタイル転換を促し、新たな消費・行動の喚起と国内外での需要創出にもつなげるべく、22年から「脱炭素につながる新しい豊かな暮らしを創る国民運動」（デコ活）を進めています。

※二酸化炭素（CO_2）を減らす（DE）脱炭素（Decarbonization）と、環境に良いエコ

（Eco）を含む"デコ"と活動・生活を組み合わせた新しい言葉

　衣食住・職・移動・買い物など生活全般にわたり脱炭素と生活上のメリットの両立を目指す将来の暮らしの絵姿として「脱炭素につながる新しい豊かな暮らしの10年後」を示し、その実現のため、24年2月には「くらしの10年ロードマップ」を策定したところです。官民連携協議会（デコ活応援団）の場も活用し、暮らしのニーズに基づく提案を大切にしながら、自治体・企業・団体などと一緒になって活動を進めていきます。

脱炭素先行地域の進捗状況、展望

　脱炭素先行地域は、民生部門（家庭部門および業務その他部門）の電力消費に伴う CO_2 排出の実質ゼロを中心に取り組む地域であり、2021年に政府でまとめた「地域脱炭素ロードマップ」に基づき、25年度までに少なくとも100カ所選定し、地域特性などに応じた先行的な取り組み実施の道筋をつけ、30年度までに実行することとしています。

　全国各地で、少子高齢化などの諸課題に対応し、強み・潜在力を生かした自律的・持続的な社会を目指す地方創生の取り組みが進んでいます。地域脱炭素の取り組みも、産業、暮らし、交通、公共などの多様な分野で、地域の強みを生かし、地域課題の解決や住民の暮らしの質の向上につながるように進めることが重要だと考えます。

　地域における再エネの導入拡大は地方創生の一つの鍵です。多くの市町村のエネルギー収支が赤字となっている中、地方公共団体や地域の企業が中心となり、地域の雇用や資本を活用しつつ、地域資源である豊富な再エネポテンシャルを有効利用することは、地域の経済収支の改善、エネルギー価格高騰や需給ひっ迫に強い「地域・くらし」への転換につながります。

　脱炭素先行地域は23年までに74地域を選定しました。先進性・モデル性のある取り組みを選定し、地域脱炭素推進交付金も活用しながら再エネ導入などを支援しています。選定地域が増えるにつれ、施策間・地域間連携、生物多様性や資源循環との統合的取り組みに加え、都道府県や地域金融機関、地域の中核企業などを巻き込んだ地域の脱炭素を推進するための

基盤が構築され、脱炭素先行地域の範囲を越えて活動し得るか、といった観点から、これまで以上に新たな先進性・モデル性の打ち出しが求められます。今後は、先進性・モデル性の観点で際立った特徴があり、横展開が期待でき、かつ実現可能性が高いと考えられる、全国の先行例・規範となる地域を選定していきたいと考えています。23年度から、既選定地域をフォローアップし、優良事例、課題およびその解決方法について取りまとめて公開していますので、既選定提案との比較や分析などを行っていただき、提案をご検討いただきたいと思います。

　こうした取り組みや、屋根置きなど自家消費型の太陽光発電などの重点対策を、複数年度にわたって計画的かつ柔軟に実施支援する地域脱炭素推進交付金について、24年度は、当初予算に425億円、令和5年度補正予算135億円と、あわせて560億円を計上したところです。

地球温暖化対策推進法に基づく地域脱炭素の取り組みの加速

　再エネの最大限の導入のためには、地域における合意形成が図られ、環境に適正に配慮し、地域に貢献する地域共生型の再エネを増やすことが重要です。2021年の地球温暖化対策推進法の改正で盛り込まれた地域脱炭素化促進事業制度は、市町村が、再エネ促進区域や再エネ事業に求める環境保全・地域貢献の取り組みを自らの計画に位置付け、適合する事業計画を認定する仕組みであり、22年4月から施行されています。

　地域脱炭素化促進事業制度は施行後まだそれほど時間が経っていませんが、施行状況などを踏まえ、23年、地域共生型再エネの推進を中心に、地域脱炭素施策を加速させる地方公共団体実行計画制度などの在り方について議論しました。地方公共団体や民間事業者などに対するヒアリングを行い、23年8月に取りまとめを公表したところであり、それを基に、制度を活用する側の立場に立って必要な施策を講じていきます。

　地球温暖化対策推進法に基づく再エネ促進区域については、24年2月時点で17市町が設定し、富山県氷見市が事業計画の第1号を認定しました。24年度からは、認定を受け、かつ所要の条件を満たした太陽光発電事業に

固定資産税の課税標準の特例措置が適用されることとなり、税制含めたインセンティブを用意して制度活用を促していきます。

また、現状、市町村のみが定める再エネ促進区域などについて、都道府県と市町村が共同して定めることができることとし、その場合は複数市町村にわたる事業計画の認定を都道府県が行うこととするなどを内容とする地球温暖化対策推進法の改正案を、今国会に提出しました。これにより、市町村にまたがる地域を含め、促進区域の設定を一層推進していきます。

民間企業によるCNへの対応支援と先導技術実証

気候変動問題が投資リスクとして認識される一方、対策強化によって生じる投資機会が中長期的にリスクを上回るリターンを生み出す可能性があることなどから、気候変動への対応が投資家の重要な関心事項となっています。いわゆるESG金融は拡大し、TCFDやSBT、RE100といった国際的なイニシアティブへの参加企業数は増えており、グローバル企業を中心に、気候変動に対応した経営戦略の開示や排出削減目標設定、具体的な削減取り組みが求められるなど、脱炭素経営の重要性は日々高まっています。

こうしたことを踏まえ、環境省では、中小企業の皆さまにも活用いただけるよう、脱炭素経営の取り組みを「知る」・「測る」・「減らす」の３ステップに分解し、企業の脱炭素経営への意識醸成を目的としたパンフレットや動画の作成、排出量算定ガイドラインや算定ツールの提供、排出削減計画策定に向けた伴走支援や各種ガイドブックの整備を通じて一気通貫の支援を展開しています。これらは「グリーン・バリューチェーンプラットフォーム」にて、企業の取り組み事例も併せて公開していますので、ぜひご参照いただきたいと思います。

削減対策の実施にあたっては、自社内の取り組みはもちろん、バリューチェーン全体での取り組みも重要です。そして、大多数の中小企業の取り組み促進には、全体の底上げを図る「面的な」対策も必要です。2023年度には、地域金融機関や商工会議所、自治体といった各地域のステークホルダーが連携し、「地域ぐるみ」で中小企業の脱炭素経営を支援する体制構

築に向けたモデル事業を開始し、全国で16地域を採択したほか、バリュー
チェーンでの排出削減に向けた計画策定に対する伴走支援などを引き続き
実施しています。さらに、23年に改定した温対法に基づく「温室効果ガス
排出削減等指針」を踏まえ、各企業の事業活動に合った排出削減対策をわ
かりやすく発信するため、ホームページをリニューアルし、内容の拡充を
図っています。対策検討の際にはぜひご参照ください。

　50年ネットゼロに向けては、CO_2排出削減技術の高効率化や低コスト化
などを実現するイノベーションを生み出し、社会に実装していくことが極
めて重要です。一方、CO_2排出削減に貢献する技術であっても、開発リス
クが大きく、収益性が不確実などの理由により十分に進まないケースがあ
ります。そこで、中長期的にCO_2排出量を大幅に削減する技術の開発・
実証を、国が主導して推進していく必要があります。

　環境省として実施しているのは、地域に根ざし、かつ、分野やステーク
ホルダーの垣根を越えて脱炭素社会の実現に資するセクター横断的な地域
共創の技術開発・実証事業です。24年度の公募テーマは「気候変動×住
宅・建築」「気候変動×農林水産・自然」「気候変動×地域交通」。スター
トアップ枠も用意しており、新しいアイデアに基づく効果的・効率的又は
低コストのCO_2排出削減技術や、地域の課題解決と脱炭素化の同時達成
につながる技術シーズ・アプリケーションなどの開発に取り組むスタート
アップの中小企業などを、テーマ枠を設けず支援することとしています。

　このほか、再エネ由来水素やCO_2の利活用、民生機器、情報通信機器、
EVなど幅広い分野への適用が期待される革新的な素材・触媒などの脱炭
素技術の開発・実証を推進し、地域・暮らしや社会インフラの脱炭素移行
に必要な先導技術の社会実装を加速化すべく取り組んでいます。

まとめ、自治体首長へのメッセージ

　地域脱炭素のコンセプトの元は、地域の多様な資源を最大限に活用しな
がら、環境・社会・経済の統合的な向上を目指す「地域循環共生圏」にあ
ります。各地域が単独で持続可能な社会を目指すことだけにとどまらず、

例えば、豊かな生態系を保持する農村や漁村が、情報の集積や流通・販売機能に長けた都市と連携することで、互いに足りないものを補完し合いながら社会や暮らしをより良く、活力あるものにしていくといったことです。自分たちの住む地域にもともとあった、ともすれば埋もれてしまう地域資源の価値を再認識し、それらを持続可能な形で活用・循環することで地域内にお金が循環し、地域の雇用も生まれます。そして、各地域がほかの地域とネットワークでつながり、共生することで、日本全体が元気で持続可能になるという発想です。

地域で活用されてこなかった太陽光や間伐材、廃棄されてきた生ごみ、家畜糞尿から電力や熱として再エネを作り出すように、まずは地上の資源を最大限活用して新たな価値を生み出すことができるか。そして例えば、地域の木材を活用して林業を活性化しながら、木質バイオマスで電力や熱を創り出し、それを農業ハウスや水産養殖で活用して新たな特産品を生産するなど、経済的にも持続可能な形で、環境だけでなく、社会・経済にも良い効果を生み出す「同時解決」の事業にできるか。伝統的な知恵や技を生かしながら、デジタル技術を活用し、効率性を高めることもできると思います。簡単ではありませんが、その地域にしかできないことです。

また、地域の雇用を増やし、事業体をできるだけ地域資本で設立することや、地域の得意分野で稼ぎ、地域から流出するお金を減らすといった地域経済循環を意識すること、地域の人々が主体的に考え、動き、最適解を導きながら事業を生み出し続けていく「地域の主体性（オーナーシップ）」、環境人材だけでなく、幅広い分野の人たちとの「協働（パートナーシップ）」も重要な視点です。地域脱炭素を核として、地域の課題解決に向けて取り組む自治体を、これからも応援していきたいと思います。

豊かな環境があってこそ、持続可能な経済・社会が実現します。環境省は、「地域」、「企業」、「国民一人ひとり（暮らし）」、それぞれの目線に立ち、複雑化する時代の要請に応え、社会の仕組みやライフスタイルの変革を進めながら、将来にわたってウェルビーイング・質の高い生活をもたらす「新たな成長」を加速していきます。

座談会

わが国が水素社会を
構築していくために
～川崎市の事例をもとに考察する

ENEOS ホールディン
グス株式会社
代表取締役社長
宮田　知秀

内閣府副大臣
（自民党水素社会
推進議員連盟事務局長）
工藤　彰三

川崎市長
福田　紀彦

東京工業大学
名誉教授
柏木　孝夫

川崎市長
福田　紀彦（ふくだ　のりひこ）
1972年生まれ、神奈川県出身。95年米国・フアーマン大学政治学部卒業後、衆議院議員秘書を経て、2003年神奈川県議会議員。09年神奈川県知事秘書、10年早稲田大学マニフェスト研究所客員研究員を経て13年11月より現職。現在、3期目。

柏木　今回は、書籍「2050カーボンニュートラル実現を目指して」において、事例研究として川崎市を取り上げ、議論を展開したいと企画しました。日本で、水素社会を早く創り上げていく、オールジャパンで水素のアイランドを創っていくことが国の最終的な目標とすれば、そのためには拠点となるハブを創り上げていく必要があるでしょう。そのハブが大きくなっていくと、国全体として裾野が広がっていきます。そのハブの代表例として注目されているのが関西では神戸市で、2023年にセミナーを開催し、そのときのレポートを第3章でまとめています。そして、関東でハブの役割として大いに期待されるのが川崎市になります。そこで、福田紀彦市長をはじめ、内閣府工藤彰三副大臣、ENEOSホールディングス株式会社宮田知秀代表取締役社長に参加していただき、「わが国が水素社会を構築していくために〜川崎市の事例をもとに考察する」というテーマで議論を掘り下げたいと思っています。まずは、福田市長から川崎市が水素に取り組んでこられてきた経緯についてご説明ください。

福田　川崎市が次世代のエネルギーとして、水素に着目したのは13年にENEOSはじめ、官民連携で川崎臨海部の水素ネットワーク協議会を設立し「今後の水素社会の在り方」について検討したのが起点になっています。15年には、「川崎水素戦略」を発表し、市民目線で「どうやって水素を活用していくべきか、具体的な活用の仕方を共有してもらう」狙いで、例えばJR東日本が燃料電池鉄道車両「HYBARI」（ひばり）を市内のJR南武線を使って走行したり、東芝が水素BCPモデル「H2One」を同線溝ノ口駅に設置して、電力とお湯をつくって、冬場にはベンチを温める実証

① 水素サプライチェーン構築モデル
② 水素BCPモデル
③ 鉄道駅におけるCO2フリー水素活用モデル
④ 地域循環型水素地産地消モデル
⑤ 燃料電池フォークリフト導入・クリーン水素活用モデル
⑥ パッケージ型水素ステーションモデル
⑦ CO2フリー水素充填・フォークリフト活用モデル
⑧ 燃料電池鉄道車両実用化モデル

川崎水素戦略のリーディングプロジェクト一覧
民間企業などと連携しさまざまな水素プロジェクトを創出してきた。
（出典：川崎市）

事業など行ってきました。

　20年には、次世代水素エネルギーチェーン技術研究組合がブルネイで製造した水素にトルエンを結合させ、有機ハイドライド（MCH）に変換した後、船で川崎臨海部に運び、水素を分離、発電に利用する世界初の国際間輸送実証が成功し、現在は、ENEOSによって川崎製油所において、製油所の既存設備などを活用した脱水素技術の実証が行われています。

柏木　パリ協定が16年の発効ですから、川崎の動きは随分早いと言えますよね。パリ協定においては、世界の平均気温の上昇を「1.5度」に抑える努力をするという目標が掲げられ、カーボンニュートラルの動きが出てきたというのが世界の潮流です。その流れに呼応するかたちで、20年10月26日の所信表明演説で菅義偉前内閣総理大臣が、「50年までに日本がカーボンニュートラルを目指す」ことを宣言し、わが国のカーボンニュートラル政策が一気に進んだわけです。工藤副大臣は、川崎市の動きをどのように受け止められましたか。

工藤　先ほど、福田市長にご説明いただいた通り、組み立てから最初の計画、進行、そして現在の状況まで、非常に早いという印象を持ちました。全国20の政令指定都市の中でも、突出しています。

福田　ご指摘の通り、私たちは脱炭素宣言という考え方を国に先駆けてう

内閣府副大臣
（自由民主党水素社会推進議員連盟事務局長）
工藤　彰三（くどう　しょうぞう）
1964年生まれ、愛知県出身。中央大学商学部卒業後、衆議院議員秘書などを経て、2003年名古屋市議会議員（2期）、12年第46回衆議院議員選挙で初当選、以後4選。18年国土交通政務官、21年自民党内閣第一部会長、23年9月より現職。
自民党水素社会推進議員連盟には、衆議院議員初当選以来、関わっている。

たっていたことになります。というのも本市は、素材、原料などを生産するものづくりの都市という事情もあり、臨海部の年間 CO_2 排出量は、2139万トン（19年度川崎市集計 CO_2 データ。2位は横浜市の1821万トン）と日本の政令指定都市の中では1位のため、CO_2 の削減に対し大きな危機感を持っていたからです。

工藤　やはり、危機感を持ったところから始まって、課題解決という方法論を持って、着実に布石を打ってきていますよね。

水素社会を実現していくためには、民間企業を巻き込んでいくことが必須になりますが、市民にも水素の利活用を啓発しながら、共有しているところも素晴らしいです。こうした動きは、水素の利活用という面で、需要喚

政令指定都市の温室効果ガス排出量ランキング

順位	都市名	CO_2等排出総量（万t-CO_2）	市内人口（人）
1	川崎市	2,139万t-CO_2	1,530,457人
2	横浜市	1,821	3,740,172
3	大阪市	1,736	2,725,006
4	北九州市	1,708	945,595
5	千葉市	1,575	977,247
6	名古屋市	1,393	2,320,361

出所：川崎市温暖化対策推進基本計画

市内温室効果ガス排出量 2,139万t-CO_2

その他
27%（572万t-CO2）
川崎臨海部*
73%（1567万t-CO2）

出所：2019年度川崎市集計CO₂データ
*臨海部立地企業上位30社の温室効果ガス排出量

川崎市の CO_2 排出量は政令市最多。そのうち川崎臨海部が73%を占める。
（出典：川崎市）

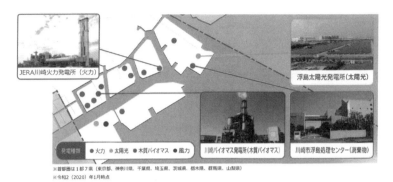

川崎臨海部の発電能力は約800万 kw 以上に及び、首都圏のエネルギー供給拠点になっている。

（出典：川崎市）

起につながりますので、国にとっても非常にありがたいですね。

柏木　工藤副大臣には、自民党水素社会推進議員連盟事務局長という二つの立場でこの座談会に臨んでいただきます。私からもう一つ、福田市長のご説明で重要な点として指摘しておきたいのは、臨海部という点ですね。地方自治体の都市形態はさまざまですが、川崎は臨海部にコンビナートや港湾を抱えていますので、国土交通省が進めているカーボンニュートラルポート（CNP）という視点も欠かせません。先ほど福田社長の説明にもありましたが、ENEOS ホールディングス宮田社長は、川崎臨海部のポテンシャルをどのように見ておられますか。

宮田　川崎臨海部の発電能力は、約800万キロワット以上あり、首都圏へのエネルギー供給拠点と言えるでしょう。われわれの製油所も水素を相当使用しています。さらに、インフラ面では、羽田空港に隣接しているというのも大きな魅力ですね。

福田　今、宮田社長からご説明いただいた通り、本市の臨海部は、１都７県の家庭用電力の全てを賄って余りある発電能力を有しています。ただし、発電量から換算すると、現状は99％火力なんですね。ほとんどが液化天然ガス（LNG）によって賄われていますが、非常に高効率で稼働しても、先述した通り、CO_2 の排出を余儀なくされているわけです。従って、

ENEOS ホールディングス株式会社
代表取締役社長
宮田　知秀（みやた　ともひで）

1965年生まれ、大阪府出身。1990年東京工業大学原子力工学修士課程修了後、東燃株式会社入社。2004年東燃ゼネラル石油株式会社和歌山工場保全部長、06年和歌山工場長、08年執行役員、11年取締役和歌山工場長、12年取締役・川崎工場長、同年常務取締役・川崎工場長、16年専務取締役精製・物流本部長、17年JXTG エネルギー株式会社取締役常務執行役員製造副本部長、19年取締役常務執行役員、22年4月 ENEOS ホールディングス株式会社副社長執行役員、6月取締役副社長執行役員、10月代表取締役副社長執行役員、23年4月代表取締役。副社長、24年4月より現職。

化石燃料から水素へといった変更は、速やかにやっていかなければならないのですが、実は現状においても、国内水素需要の約10分の1を川崎臨海部が占めています。川崎臨海部内には水素パイプラインが敷設されており、将来的には羽田空港へもパイプラインがつながる構想を持っています。そこで、本市は、民間サイドの旺盛な水素需要を喚起しながら、安定した供給網をさらに構築していき、わが国の水素社会構築のために率先して貢献していきたいと考えています。

わが国にとって、なぜ、水素社会の構築が必要なのか

柏木　冒頭では、川崎市のこれまでの水素戦略を振り返り、お話を進めてきました。では、議論を進める前に、今、なぜ水素社会への変換が重要なのか、宮田社長からご説明いただけますか。

宮田　われわれ民間企業が水素に着目する理由は、水素は、e－メタンや合成燃料などこれからのエネルギー全てのベースになる可能性があるということに尽きます。e－メタンや合成燃料などジェット燃料に関しては合成燃料からも製造されます。

柏木　SAF（Sustanable Aviation Fuel＝持続可能な航空燃料）もそうですよね。

宮田　はい。SAF については、今は廃食油、次はバイオ系原料由来、最後は合成燃料由来と考えられており、トータルの需要量を考えると、やは

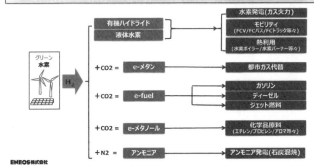

水素の製造から輸送・貯蔵・利用までのメカニズム
水素、e-メタンや合成燃量など今後のエネルギー全てのベースになる可能
性があるとされている。

（出典：ENEOS）

り合成燃料の流れまで進むと考えられます。合成燃料のベースは何と言っても水素、しかもコストの安い水素が必要になってきます。

　具体的に説明しますと、e-メタノールなどは今、やらなければならないテーマと言われています。というのも、メタノールからガソリンに変える技術が確立できれば、メタノールからジェット燃料に変える技術、さらにメタノールからオレフィンに変える技術などさまざまな用途に応用できるからです。現時点では、メタノールは完全にグレーと位置付けられていますが、それを製造技術によって、グリーンに変えていけば、多くのエネルギーや素材がグリーン化することになります。

柏木　結局は水素に行きつく、と。今、宮田社長がご指摘されたメニューを総称して、カーボンニュートラル燃料と言われています。

宮田　これらのカーボンニュートラル燃料は、水素がベースになっていますので、「全てのエネルギーの材料になりますよ」となるわけです。ですから、これからの民間企業は、水素に触っておかないと、海外にビジネスチャンスを持っていかれてしまう可能性は十分にあると思いますね。

工藤　ご承知の通り、わが国には資源がほとんどないとされ、安全保障上

東京工業大学名誉教授
柏木　孝夫（かしわぎ　たかお）
1946年生まれ、東京都出身。70年東京工業大学工学部生産機械工学科卒業、その後同大学大学院を経て、79年博士号取得。80年米国商務省NBS招聘研究員、東京工業大学工学部助教授、東京農工大学教授、同大学評議員、図書部長などを経て、2007年より東京工業大学総合研究院教授（現・科学技術創成研究院）、09年先進エネルギー国際研究センター長、12年特命教授、23年より現職。また、11年より（一財）コージェネレーション・エネルギー高度利用センター理事長、水素・燃料電池戦略協議会議長、内閣府エネルギー・環境イノベーション戦略会議議長など、長年国のエネルギー政策に深く関わっている。

も極めて不安定な状況を余儀なくされてきました。ただし、それは石油、石炭、天然ガスなどの化石燃料を由来とした資源なのです。そこで政府は、世界に先駆けて17年に「水素基本戦略」を発表し、50年までに水素を主なエネルギー源とする社会を創り上げると宣言しました。水素社会を早急に確立し、カーボンニュートラル燃料を技術的に確立していけば、わが国の将来にとっても非常に重要だというわけです。

「水素基本戦略」は、23年に改定され、40年までに年間で1200万トンの水素を導入するという具体的な目標が掲げられ、また水素から生成されるメタンやアンモニア、合成燃料などのカーボンニュートラル燃料も脱炭素に必要なエネルギーとして水素と並行して研究が進められることになりました。

柏木　こうした流れを受けて、まさに川崎のような地方自治体は、フィールドを提供して、民間企業を巻き込んで、これからのわが国水素社会構築に向けて、官民連携で水素ハブを創り上げていくというのが本書の狙いにもなっています。

84の企業、団体で構成された国内最大のプラットフォームが水素社会構築のエンジンの役目を果たす

柏木　そこで、福田市長、先ほど既に国内水素重要の10％を川崎臨海部が占めているとの説明がありましたが、ここからは現在の同市の水素社会へ

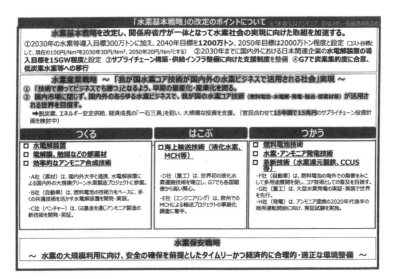

2023年に改定された「水素基本戦略」

「水素基本戦略」は、「水素産業戦略」と「水素保安戦略」で構成。2030年水素等導入目標を300万トン、2040年目標を1200万トン、2050年目標を2000万トンと設定している。

（出典：経済産業省）

水素等の需要量の見通し

（出典：経済産業者）

の取り組みをテーマに議論を展開することにしましょう。

福田　前述の通り、持続的な発展をしていくためには、本市は脱炭素をするしかなかったわけです。そこで、2022年には「川崎水素戦略」をさらに発展させる形で、「川崎カーボンニュートラルコンビナート構想」を発表しました。同構想は、川崎臨海部における50年の将来像を設定し、その将来像と現在のギャップを踏まえ、「将来像を実現する戦略」を掲げています。幾つか骨子がありますが、水素などを活用したエネルギー供給拠点を目指すということを大きな柱の一つに位置付けました。推進のプラットフォームとして、現在、ENEOSはじめ84社の企業、団体に入っていただき、国内では最大のプラットフォームが発足しています。このプラットフォームが水素社会構築の推進エンジンとなり、30年・50年までにカーボンニュートラルコンビナート、カーボンニュートラルポートを形成すべく、対応策の検討や課題の整理などが行われ、われわれ行政サイドもさまざまな調整を担っています。

柏木　23年3月に、川崎重工業などによる「液化水素サプライチェーンの大規模実証プロジェクトも、出荷地がオーストラリア・ビクトリア州ヘイスティング地区、受け入れ地は川崎臨海部に決まりましたね。

福田　はい。84社の皆さんもアクセルがさらに入った感じですね。

宮田　確かに、川崎臨海部の発展については、液化水素を臨海部の扇島（おうぎしま）に持ってくるという流れになり、民間サイドではかなり盛り上がってきました。さらに最近、話題になっているのは、水素発電所を羽田に整備するという動きですね。こうした動きが現実になれば、羽田空港の物流も含めた水素利用が本格化するはずです。

柏木　それは素晴らしい。

宮田　一方、課題も浮き彫りになってきました。例えば、いざ需要の話を詰めようとしてもなかなか具体化しないのです。実際に、「川崎は、需要がすごくいっぱいありますよね」と言いながら、「いつのタイミングで、何万トン欲しいよね」という具体的な話が一向に進まないわけです。先ほども話題に上りましたが、ある時期まで川崎が一番進んでいたのは間違い

全国に先駆けて水素に関する取組を実施

川崎臨海部水素ネットワーク協議会 《2013年8月設立》

委員長：横浜国立大学 光島重徳 教授
委　員：旭化成（株）、出光興産 名誉教授、東京農工大学 秋澤淳 教授、
　　　　JFEコンテイナー（株）、JFEスチール（株）、昭和電工（株）、大陽日酸（株）、
　　　　千代田化工建設（株）、東亜石油（株）、東京ガス（株）、東京電力グループ、
　　　　東芝エネルギーシステムズ（株）、巴商会（株）、豊田自動織機（株）、日本エア・リキード（合）、
　　　　日本製鉄（株）、東日本旅客鉄道（株）、富士電機（株）、三菱化工機（株）、三菱重工（株）、
　　　　（国研）新エネルギー・産業技術総合開発機構（NEDO）、川崎市　　※設立当初のメンバー

川崎水素戦略 《2015年3月策定》

川崎市で実績されている84の企業、団体で構成された国内最大のプラットフォーム。

（出典：川崎市）

ないと思いますが、民間サイドからシビアに見るとかなり後退してしまったという印象が拭えません。

　もう一つの課題は、政府が考えている「GX（グリーントランスフォーメーション）経済移行債の実情をどのように捉えるかということです。GX経済移行債は、脱炭素社会の実現に向けて、今後10年間で20兆円規模の支援が行われる仕組みですが、非常に小さなボリュームの集合体になってしまうことが懸念されます。仮に、小さな集合体で終わってしまうと、政府が「水素基本戦略」において掲げている30年に300万トンとか、40年に1200万トンなどの目標数字の達成は、ほど遠い数字になってしまうのではないでしょうか。

柏木　今の宮田社長のご指摘は、非常に重要な問題が含まれています。まず、需要の話がなかなか具現化しないという点について、福田市長はどのようにお考えでしょうか。

福田　宮田社長のご懸念はごもっともだと思います。確かに、プラットフォーム内でカーボンニュートラルコンビナート推進協議会を実施しても、民間企業の皆さんは水素を「使いたい」「やっていきたい」と、需要に対する意欲が非常に旺盛だと実感しています。ただ、結局、水素の価格

が幾らになるのかという具体な数字がなかなか出てこないために具体的なプランが進まず、非常にもどかしさも感じています。そういう意味では、政府が国会に提出予定の「水素利用推進法案」の中で、例えば値差支援など具体的なものが出てくると、一気に動く可能性があると期待しています。われわれは、そうした需要をもとにしたパッケージをしっかりとつくって、需要側と供給側をつなぐ役割を果たす必要があると考えています。

柏木　なるほど。では、工藤副大臣に伺います。工藤副大臣は、自民党水素社会推進議員連盟（会長・小渕優子衆議院議員）事務局長という要職も務めておられますが、いよいよ水素関連法案が国会に提出されると聞いています。同法案についての見通しについてご説明ください。

工藤　「脱炭素成長型経済構造への円滑な移行のための低炭素等の供給及び利用の促進に関する法律」（水素利用推進法案）は、水素社会をつくるために、現代の技術に基づいた安全性を保ちながら、できるだけ民間企業、団体、地方自治体などが参加しやすくするための推進法として、第213回通常国会に提出される予定です。経済産業省、環境省、国土交通省などが一体になって提出する閣法で、「国が本気で水素社会をつくりますよ」という姿勢をきちんと示す内容になっています。

　水素社会を構築する上で、考え方として「この指とまれ」と民間企業の投資を促した場合、「そのまま水没してしまうのではないか」と思われてしまう可能性が万に一つもあってはなりません。従って、水素利用推進法案には「万が一の場合、国が必ず担保します」ということが必ず明記されるように求めています。

新たな水素利用活用法案に対する期待

柏木　日本が真の意味で、水素社会を創り上げていくためには、政府が主導して制度面を充実させていく必要があることは言うまでもありません。従って、第213回通常国会に提出される予定の「脱炭素成長型経済構造への円滑な移行のための低炭素等の供給及び利用の促進に関する法律」（水素利用推進法案）には、制度をきちんと充実させる仕組みが記載されない

と、なかなか地方自治体や民間企業はついてくることができず、結果として国が掲げる「水素基本戦略」の目標達成が難しくなるのではないかということが先ほど問題提起されました。

　ただ、一方で、水素を所管する法律はこれまでなく、高圧ガス保安法などをもとに運用されてきましたので、「水素利用推進法案」に期待を寄せる声が多いのも事実です。福田市長は、今回提出される法案に対しどのような見方をされていますか。

福田　まず、今回の水素関連の法案が、われわれ地方自治体の気持ちをしっかりと汲んでいただいたものになることを期待したいと思います。例えば7〜8年前に、港で水素の実証事業を開始したとき、もう少し圧力を上げると、監視する人を24時間体制で張りつけなければならないということがありました。あの当時から、保安に関する水素のルールを作ってもらわないと、前向きな実験はできないと非常に問題意識を持っていました。従って、今回の法案が成立し、合理的な保安体制をしっかりと作っていただけることによって、前向きな実証が加速し、結果的にインフラ整備が進んでいくのではないかと見ています。

宮田　民間サイドからすると、現行の規制に関してはどんどん変えていただかないと、コストも下がらないし、導入のスピードも出ないことになりかねません。実際に、水素に関しては高圧ガス保安法だけでなく、消防法も絡んでいるんですね。消防法は、30〜40年前の技術をそのまま踏襲していますので、余計なお金がかかったり、輸出機会を逃したりもしていると指摘せざるを得ません。また、労基法で定められているボイラー関連規制については、まち中の銭湯をイメージして規定されたものですが、その規制が規模の全く違う製油所にも適用されているために不都合が生じることもよくあります。こういったことが水素に適用されると、「全然進まなくなるので、勘弁してください」という話をしています。

柏木　確かに「水素利用推進法案」においては、水素の安全性を担保した上で、スピーディーな整備と設置ができるような形での保安が必要ですね。これは、どこの所管になるんでしょうか。

工藤　恐らく、最終的には、経済産業省と総務省が管轄することになるはずです。自民党水素社会推進議員連盟としては、「今までとは発想を変えてくれ」とお願いしています。規制改革もそうですけど、違った考え方で違った法律を作らなきゃできませんから。

柏木　できないですよね、今までと同じ法律を適用されたんじゃ…。

工藤　高圧ガス保安法を、管轄を変える、と。こういうこともきちんとやりますけど、やはりプレーヤーである「国、地方自治体、民間企業のみんなでやろうぜ」と。技術で勝って、ビジネスで負けることは絶対にしない、これだけは二度としたくない。「とにかく勝たなきゃだめだ」というのがわれわれの思いです。

グリーン化した水素社会構築のためにも、初期は国の強力な先導が必要

柏木　では、先ほど宮田社長から指摘のあったもう一つの課題、GX経済移行債についても議論を展開することにしましょう。まず、20兆円、政府が移行債の国債を出したと。あと150兆円のうちの130兆円は、これから10年間、国債によって少しずつねん出されていく、と。このあたりの実情はどのようになっているのでしょうか。

工藤　ご指摘のあった移行債については、政府に対してきちんと申し入れることが自民党水素社会推進議員連盟内で合意されています。先ほど話題に上っていた20兆円、GX移行債ですけど、われわれからすると「水素だけで20兆円規模ではないのか」という問題意識を持っています。

宮田　先ほど液化水素の事例を申し上げましたが、もともとはグリーンイノベーション（GI）基金を使って、液化水素の開発というプランがありました。ただ、当初はそれさえも飛び越して一気に商業化まで行こうという考えもあったのです。さらに、合成燃料の製造開発実証においてもGI基金の補助を頂いていますが、300バレル／日のパイロットプラントの建設・運転実証については補助金がまだまだ足りないというのが現状です。工藤副大臣のお言葉は、われわれ民間企業にとっても大変心強い限りで、

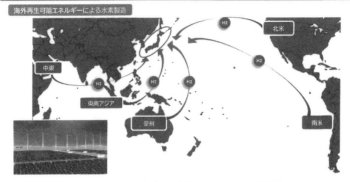

CO$_2$フリー水素サプライチェーンの構築

（出典：ENEOS）

政府が制度面をきちんと整備していただければ、世界中がびっくりするような話も民間サイドから生まれてくる可能性があるかもしれません。今回の移行債についてはある程度決まってしまっていますけれども、恐らく、水素社会実現のためには、第二波、第三波が必要になってくるでしょう。そうした流れを作っていただけることを期待していますし、継続的な政府の支援が一番大事なのかなと思っています。

柏木　例えば、菅前総理は、2020年の第3次補正予算で、税金から2兆円取ってきて、GI基金を創設しました。あとは、民間から国債で。あれも国会で審議を受けながらやっているわけですから、今後、民間レベルからすると、自治体もやって、いい企業に集まってもらって、川崎臨海部のような水素工業地帯という世界でのモデル化を整備する必要があるでしょう。もちろん日本の企業だけでなく、海外から良い企業が集まってくるかもしれません。そうしたメリットがたくさんあるんですけど、政府として、何らかのファンドがまだ足らないというわけですよね。先ほど、宮田社長からのご指摘通り、いろいろなところに分散されてしまうと、結果的にほんの小さな成果の集合体になってしまって、とてもじゃないけど、世界に先駆けてやっていけないことだとすると、これからの予算の取り方は、例えば集めて分配する、そうした制度をつくることも必要でしょう

2020年5月に次世代水素エネルギーチェーン技術研究組合（AHEAD）がMCHによる世界初の国際間輸送実証に成功。現在はENEOSが川崎製油所等において、製油所の既存設備等を活用した脱水素技術の実証を実施。

世界初となる国際間水素サプライチェーン構築実証（AHEAD）

ブルネイ水素化プラント
（画像：AHEAD提供）

ブルネイで製造した水素にトルエンを結合させ、MCHに変換した後、船で川崎臨海部に運び、水素を分離、発電に利用（トルエンは再利用）。

※ NEDO「水素社会構築技術開発事業／大規模水素エネルギー利用技術開発」事業

製油所の既存設備等を活用した技術実証（ENEOS）

（出所：ENEOS公表資料等）

脱水素に使用する設備のイメージ

現在は、ENEOSが川崎製油所等において、製油所の既存設備等を活用した脱水素技術の実証を実施。

カーボンニュートラルに向けた具体的な取組
MCH による国際水素サプライチェーンの構築実証

（出典：川﨑市）

ね。もちろん、制度をつくるのは政府の役目で、地方自治体としては、この制度をうまく使っていく。あるいは民間とのマッチングファンドでやっていくと、いろいろな手段があると思うんですけど、そのあたりもこれから見据えておく必要があるように思えました。

宮田　繰り返しになりますが、水素社会を実現する上でポイントになるのは水素のコストです。従って、大部分の水素は、やはり再生可能エネルギーの安い国外から持ってくるしかないと見ています。実際に、当社では安い再生可能エネルギーを世界で開発して、それを水素に変えて日本に持って来れるのかということを検討しています。

　ただ、技術的な話もそうですし、スケールメリットも考えると、どうしても初期には非常に高いコストとなってしまうわけです。しかし、10年、15年すると、グリーン水素が勝ってくるのではないか。日本国内でもブルー水素よりグリーン水素が勝っていく時代が来るはずなので、そこを目指しながら、われわれ民間企業は動いていますが、やはり初期のところの出鼻をくじかれると、こうした野心的なプロジェクトは、往々にして進まなくなってしまうというのも現実なのです。

柏木　今、宮田社長がお話された内容をまとめますと、最初は、水素のコ

ストは高く、技術的にも、スケールメリットも出ない、と。ですから、初期は国に引っ張っていってほしいということですよね。そうすると、民間がどんどん頑張って「水素のコストを下げていきますよ」ということと並行して、ほかの液体燃料、合成燃料などに、どんどんグリーン化していくのに水素が使われていきますよということだったかと思います。

宮田　特に川崎はコンビナートなので、そういったグリーン系の水素が入ってくることによって、いろいろなものが全部グリーンになってくる可能性があります。そういう構想も、川崎市、ひいては京浜地区は見据えていく必要があるのではないでしょうか。

福田　川崎臨海部は、エネルギーだけではなくて、化学の原料の生産拠点にもなっているので、将来的な波及まで考慮すると、日本全体の力に寄与できるはずです。言い換えれば、われわれは、本市の水素社会構築に向けての取り組みを、全国のコンビナート地域に横展開できるというかたちにしていかなければならないという使命感を持っているということなのです。

柏木　福田市長は、ENEOS に対してどのように思っておられますか。

福田　言うまでもなく、ENEOS は川崎臨海部における中核の企業です。液水のプロジェクトにも関わっていただいていますが、特にわれわれが期待したいのは、MCH です。MCH にもそれぞれの長所と課題があるので、そこをうまくこのエリアで組み合わせることによって、市民のみならずみんなにとって持続可能なエネルギーになってもらいたいですし、行政としても最大限サポートしていきたいと考えています。

宮田　今、福田市長におっしゃっていただいたように、当社の役割は重々承知した上で、われわれがやらなければならないのは、いかに世界から競争力のある水素を、いろいろな形で持ってくるかということだと認識しています。

2050年カーボンニュートラル実現のために、率先して水素ハブの責任を果たす

柏木　ここまで、川崎臨海部をモデルに「2050カーボンニュートラル実現

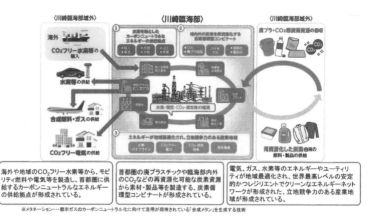

カーボンニュートラルに向けた取り組みの方向性
川﨑カーボンニュートラルコンビナート構想：
2050年の川﨑臨海部のイメージ

（出典：川﨑市）

を目指して」というテーマで議論を進めてきました。最後に、まとめとして皆さんからぜひコメントをいただきたいと思います。

宮田　カーボンニュートラルを分かりやすく言いますと、結局、新しい油田を掘るようなものなんですね。油田を掘るのは、ものすごいお金がかかりますよね。例えば風力、太陽光など何でもそうですが、海外で再生可能エネルギーを開発して水素を運んでくる、あるいは日本で再生可能エネルギーを開発する——結局、これは新しい油田を掘るのと同じぐらいリスクもあるし、お金もかかるんですね。そういう認識で新しいエネルギーを開発しないと、結局、カーボンニュートラルにたどり着けないんですよね。こうした認識と覚悟を持たなければならないと思います。

福田　川﨑臨海部を起点に、東京都や横浜市など周辺自治体との連携により、水素需要の規模を拡大し、京浜臨海部として需要と供給双方の拡大という好循環の創出を目指していきます。そのために、率先して水素ハブのまちとしての責任を果たしていきたいと思います。

　私は、昨年10月にオーストラリア・ヴィクトリア州を訪問し、同州ラトローブ市（水素製造）・モーニントンペニンシュラ市（出荷港）と「ネッ

ト・ゼロ達成とより持続可能な未来に向けて地域社会を移行させるため、日豪間の水素サプライチェーンにおける協力機会を探索する」という共同声明を打ち出しました。そのとき私が感じたのは、オーストラリアの水素に対する本気度です。とにかく政府を挙げて水素を売る気満々で、「国を挙げて」という感じがものすごくしたのです。帰国すると、日本の受け止め方は、オーストラリアのスピード感や「売るぞ、売るぞ」と言った熱量とは、正直ギャップがあったと思わざるを得なかったわけですね。先ほど議論された通り、わが国にもそれぞれ水素の需要家がいますが、具体的に「何トン、幾ら」というふうに話を早急に詰めないと、入口と出口と考えても成り立たない話なので…。

　そういった意味では、国も民間も、私たち自治体も、それぞれが水素社会構築に向けて同じ方向を向いて、汗をかくということが必要です。そのことをしっかりやっていくということに尽きると実感しています。

工藤　私の副大臣としての所管は、こども家庭庁と内閣府になりますが、現在、110兆円と言われる国家予算の中で、優先順位が絶対必要になってきます。もちろんランニングコストがかかるもの、例えば、年金、医療などの分野は削ることができません。

　ただ、やはりエネルギーについては、国民の生活に必須の領域です。安全保障上も、わが国がもともと弱い領域なので、真剣に水素社会の実現を明確に打ち出していく必要があるということで、この座談会に参加させていただきました。もちろん、CO_2削減のカーボンニュートラルはきちんとやり抜きます。なぜならば、やれる技術が日本にはあるからですし、やれる企業もいるんです。競争にも負けないということをきちんと実施した上で、将来の投資という意味からも、水素社会の実現を視野に、予算をしっかりと確保して、地方自治体、民間企業、国民一人一人に明確にメッセージを打ち出す必要があると考えています。

柏木　皆さん、どうもありがとうございました。

第2章

先進自治体の取り組み

神戸市

水素サプライチェーンを構築し、全国に率先して水素社会の実現を

——貴市では、「水素スマートシティ神戸構想」を掲げておられますが、同構想の概要について教えてください。

久元　私が市長に就任した翌年の2014年3月に、政府の経協インフラ戦略会議に招かれ、水素サプライチェーン構築の話をいたしました。まさに、川崎重工業がオーストラリアの褐炭（かったん）を現地で水素エネルギーに変換し、これを新しく建造する水素運搬船で神戸に荷揚げをして、これを全国に供給するという構想です。このときは、全くの構想段階だったわけですが、これがいよいよ実装段階に入ってきました。

　そこで、水素サプライチェーン構築し、全国に水素を供給し、本市が率先して水素を使っていくという「水素スマートシティ神戸構想」を掲げました。水素エネルギーに関する関連産業を神戸に集積させ、市民生活にも水素エネルギーの利用を普及させていくという狙いがあります。

——18年には、貴市は川崎重工業、大林組、関西電力とともに水素発電事業を行い、ポートアイランド地区に電力供給を行っていますね。地域電源として、水素発電を利用する世界初の事業でした。

久元　その通りです。CO_2を大きく削減できる効果があり、当時メディアでも大きく取り上げられました。川崎重工業がエネルギー源として、水素に着目したのは07年ごろと聞いていますので、長年にわたる同社の技術開発の蓄積が起点となって、「水素スマートシティ神戸構想」にまで発展してきたということは言えるでしょう。ただ現在は、水素エネルギーに対しては、同社のみならず、神戸製鋼などのものづくり企業をはじめ、中小企

神戸市ポートアイランドで実証されている水素エネルギー利用システム
（出典：神戸市）

業、あるいはスタートアップ企業などさまざまな種類の企業が参入してい
ます。

──神戸発祥以外の企業も参入しているのですか。

久元　例えば、大阪や東京に本社機能を持つ岩谷産業も水素サプライ
チェーンの構築事業に参入しています。このたび、水素の利活用を通じ脱
炭素社会の実現に向けた発信拠点とするとともに、水素エネルギー事業の
推進に貢献する多様な人材を育成する施設の整備もポートアイランドの中

神戸市長
久元　喜造（ひさもと　きぞう）

1954年生まれ、兵庫県出身。東京大学法学部卒業後、76
年に自治省に入り、92年札幌市財政局長、95年自治省大
臣官房企画官、内閣官房内閣内政審議室内閣審議官併
任、97年自治省行政局公務員部福利課長、2000年国土庁
地方振興局総務課長，01年総務省自治財政局財務調査課
長、02年総務省大臣官房企画課長、03年総務省自治行政
局行政課長、05年総務省大臣官房審議官、06年総務省自
治行政局選挙部長、08年総務省自治行政局長、11年総務
省自治大学校長兼務、12年神戸市副市長、13年11月より
現職。現在、３期目。22年４月より指定都市市長会長も
兼ねる。

でスタートしています。23年春には、日本エア・リキードの整備した水素ステーションの営業がポートアイランド内で開始され、さまざまな業種の企業が、神戸を舞台に、水素の生産（つくる）・運搬輸送（運ぶ）・貯蔵（ためる）・利用（使う）という一連のサイクルを活用していくはずです。

――それにしても、民間企業をうまく活用していく都市経営手法は、「株式会社神戸」の面目躍如たる印象があります。

久元　「水素スマートシティ神戸構想」によって水素利活用のサイクルが構築できれば、本市にある従来の企業も、水素エネルギーに関するさまざまな事業に積極的に参入していただけるようになるのではないかと期待しています。

本格的な CNP への整備が、わが国港湾を国際レベルに復活させるチャンス

――水素を活用した水素バスの運行もスタートしたと聞いています。

久元　水素バスの運行は、水素の「利用（使う）」というサイクルの一環で、2023年度からスタートしました。本市では初の取り組みで、二つの系統（神戸駅前〜市民福祉交流センター前、三宮駅前〜新港町）で運行しています。

――まさに市民生活に水素の活用が目に見えるかたちでアプローチされているわけですね。

　ところで、国土交通省を中心に「カーボンニュートラルポート」（CNP）も話題になっています。神戸港も、わが国有数の CNP として先導的な役割が期待されていますが、久元市長はどのようにお考えですか。

今年度から市内を運行している水素バス
（出典：神戸市）

久元　ご指摘の通り、神戸港は、わが国を代表する港湾で、コンテナの貨物取扱高もトップクラス（289万TEU・22年）です。それだけの貨物が出入りしますので、当然、エネ

水素スマートシティ神戸構想

主な取組み
・燃料電池の利活用促進
・水素ステーションの整備促進
・先駆的な水素エネルギー利用技術開発事業の促進
・地元中小企業の水素産業への参入促進
・各業界におけるカーボンニュートラル計画の推進

神戸市が掲げる「水素スマートシティ構想」の概要
水素エネルギーに関する関連産業を神戸に集結させ、市民生活にも水素エネルギーの利用を普及させていく狙いがある。

（出典：神戸市）

ルギーを使うことになります。現在、使われているエネルギーの大半は化石燃料で、ディーゼル燃料ですから、かなりのCO_2が排出されています。これを電力に転換していく、そして、水素エネルギーに転換していくということが極めて重要になると考えています。まず取り組むべきポイントは、港湾のオペレーションで非常に重要な役割を果たすRTG（タイヤ式門型クレーン）です。神戸港では、水素エネルギーに転換可能な新しいタイプのRTGが、22年に２基導入されました。

——着々と、CNPへの段階を踏んでおられる様子がうかがえます。

久元　ただ、陸上電力供給システム導入の課題も残されています。陸上電力供給システムとは、船舶の停泊時に発電のために動かしているエンジンを停止し、陸上から電力を供給することにより、船舶の排出ガスを減少させ、港の環境保全と脱炭素を進めていく仕組みです。現在は、陸上電力供給システムの普及と利用促進が当面の課題になりますね。

——22年５月に、岸田文雄総理とジョー・バイデン大統領が日米首脳会談

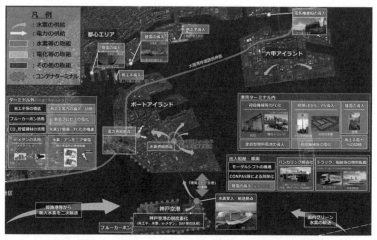

カーボンニュートラルポート形成の取り組みイメージ
神戸港は、「世界に選ばれる港湾」を目指し本格的な CNP に取り組む。
（出典：神戸市）

後に発表した「日米競争力・強靱性パートナーシップ」において「日米両国は、CNP ワークショップを開催し連携をさらに強化することで一致し、ロサンゼルス港ならびに横浜港および神戸港をパイロットケースとして特定した」とあります。

久元　そうですね。私は、神戸港が本格的な CNP になっていくことで、神戸港を再び世界レベルの港にしていくことができると確信しています。

──**詳しく教えてください。**

久元　神戸港は、1960年代までは世界有数の港湾でした。貨物取扱高が世界ランキングで3位だったこともあります。それが徐々に凋落し、阪神・淡路大震災で決定的な打撃を受け、港湾も壊滅的被害を受けました。神戸港を使っていた船会社が別の港を使わざるを得なくなり、神戸港の世界ランキングは大きく落とすことになったわけです。やはり、世界の港湾は、いかに貨物を取り扱うのかについて、ずっと昔から競争をしているわけですね。

──**神戸港については、震災があったので、変動が大きかったのはやむを得ないにしても、わが国の港湾全体が凋落している事実を指摘する声は非**

常によく聞かれます。

久元　一時期、国の港湾政策が、戦略港湾に重点投資をせずに、地方の活性化、国土の均衡ある発展という視点から、地方港湾全体への投資が重視された時代がありました。一方で、例えば韓国は、国家プロジェクトとして釜山港に集中投資をすることによって、港湾の基盤整備を進めました。結果、

2022年10月14日

ロバート・ガルシアロングビーチ市長と港湾の脱炭素化に向けて連携協定を結んだ
（出典：神戸市）

オペレーションが大きく改善され、フィーダー貨物は、日本から韓国の釜山港に行ってしまいました。これは、オペレーションテクノロジーとオペレーションコストの問題でもあるわけです。

——つまり、**本格的なCNPにしていくとは、オペレーションテクノロジーを高め、オペレーションコストを下げることにつながる、と。**

久元　そうです。さらに、CNPには世界に選ばれる港湾という視点もあると思います。グローバル社会の中で、カーボンニュートラルの取り組みが世界共通のテーマになる中で、本格的なCNPにしていくことが、港湾のブランド化につながってくるはずです。そのためには、従来の競争だけではなく、世界の各港湾との連携という視点も問われてくるでしょう。

——**22年、アメリカ・カリフォルニア州ロングビーチ市のロバート・ガルシア市長が貴市を訪れ、港湾の脱炭素化に向けての連携協定（MOU）を締結されておられますね。**

久元　ロングビーチ港は、ロサンゼルス港に隣接し、世界に先駆けて、陸上電源供給設備が整備された革新的な港です。しかも、30年までに湾内全ての荷役機器のゼロエミッション化を目標とするなど、環境保全と経済成長の両立を目指しています。神戸港も謙虚に、こうした世界レベルの港に学ぶ必要があると思っています。

> ### 民間やアカデミアのチャレンジを促進する実証フィールドを提供していくことが地方自治体の役割

——**政府は、2050年にカーボンニュートラル社会を実現していくことをうたっていますが、地方自治体として貴市はどのような役割を果たしていけるとお考えですか。**

久元　カーボンニュートラル社会を実現していく上では、CO_2の排出をいかに抑えるのか、そして化石燃料から他のエネルギーへの転換という命題を果たしていく必要があります。では、他のエネルギーとは何かと言うと、水素エネルギー以外にも太陽光、風力、中小水力、地熱や潮力発電などさまざまな方法論があります。この中には既に実用化されているものもあれば、未知のものもあります。あるいは、その中間段階にあって、技術的には確立されていても、実装化される上ではさまざまな課題があるものもあります。では、実装化される上で、重要なポイントは何かと申し上げると、私はコストと安全性の確保だと思います。水素については、先ほど申し上げた費用対効果について、まださまざまなチャレンジが必要なわけですね。そのチャレンジを実施していく上での実証フィールドを提供していくことが、われわれ地方自治体の役割ではないかと考えています。

——**なるほど。**

久元　つまり、実証フィールドを提供することによって、民間企業の間でもさまざまなマッチングやコラボレーションが進むはずです。さらに、神戸にはたくさんの大学がありますが大学などのアカデミアもこの産業技術に対して参入し、さまざまな社会貢献を行いたいという意欲を非常に強く持っていますから、大学との連携も、こういう実証フィールドの中で進んでいくでしょう。こうしたさまざまな実験・実証が、本市のさまざまなエリアで行われていけば、国も、こうした地域に対して支援をしていこうという動きにつながっていくだろうと思います。

——**確かに、国は、既に相当な予算を、カーボンニュートラルに対して確保していますから、きちんとした実証フィールドを用意し、さまざまな民**

間企業あるいは大学などのアカデミアが参入し、さらにこうした動きに対し理解をする市民が備わった地域というのは、大きな強みでしょうね。

久元　これからの地方自治体の役割というのは、こうした実証フィールドを提供して、そこでさまざまな創造的な、あるいは挑戦的な施策を行っていくという視点が不可欠になると思っています。本市は、「水素スマートシティ神戸構想」によって、創造的かつ挑戦的な取り組みを実施していくつもりです。

> ## 水素活用の安全基準確立のために、国主導による試験研究機関の早期設立を

――水素エネルギーを利活用していくためには、水素を生産し、運搬し、貯蔵し、輸送し、そして利用するという一連のサイクルの確立が必要になってくるということがよく分かりました。また、久元市長のカーボンニュートラルについてのお考えを伺っていますと、非常にアグレッシブで刺激を受けました。本書は、中央省庁、国会議員、地方自治体の首長にご覧いただくことを想定しているのですが、こうした皆さんもカーボンニュートラルの動向には大いに着目されていると思います。久元市長からメッセージがあれば、ぜひ承りたいのですが…。

久元　私から要望したいのは、ぜひ液化水素活用の試験研究機関を国主導で設立していただきたいということです。現在、こうした試験設備は国内には存在しないわけです。やはり水素エネルギーを本格的に利活用していく上では、一連のサイクルの構築が不可欠で、このサイクルに関するさまざまな設備・機器の安全性を担保することが極めて重要になります。

　特に、安全性を確保するための技術基準を確立していくためには、公的な試験研究機関をできるだけ早期に設立していくことが望ましいと考えています。既に調整作業は始まっているかと思いますが、水素エネルギーの一連のサイクルに関する安全性が、例えば高圧ガスやLNGなど既存の法律を適用しているのでは不十分です。しかも、そうした安全基準は、国際基準と合致したものでなければなりません。

世界のエネルギー都市の自治体ネットワーク（WECP）会合で、世界の首長と話し合う久元市長
神戸市は、日本の自治体初となる WECP（World Energy Cities Partnership）にも加盟し、水素や再生可能エネルギーに関する連携やグローバルな情報発信を積極的に進めている。
（写真は2022年にデンマーク・エスビャウ市で開催された WECP 会合の様子。出典：神戸市）

――水素の利活用については、国際的な競争もあるでしょうから、こうした安全基準が、諸外国主導で作られてしまう可能性もありますね。

久元　ですから、これを国のイニシアチブで、できるだけ早く水素に関する安全基準を、国際基準に適合した形で策定し、これを特にグローバルな社会の中でリードできるような試験研究機関をつくっていく必要が求められていると言えるでしょう。できればこの施設を神戸に誘致したいと考えています。

脱炭素先行地域「まにわ」の挑戦
～地域資源を生かした真庭市の戦略

――本書籍監修の森本英香早稲田大学教授（元環境事務次官）が、地域資源を生かした貴市の戦略を、これからの地方自治体が目指すべきモデルとして絶賛されていました（序章24p 参照）。従って、本書の先進自治体には、貴市に必ず登壇いただきたいと考えていました。

太田　真庭市は、中国山地の山あい、岡山県の北中部に位置する人口４万人のまちで、面積は828.53平方キロメートルです。これは、東京23区の1.3倍の広さに相当し、県下最大規模になります。市域の約８割が森林で、特長としてはスギよりも（単価の高い）ヒノキが多いんですね。従って、「山を資源として活用しよう」という機運は、市民はもちろん、行政や民間企業の中にも結構あるわけです。

――民間企業と言えば、集成材の日本一のメーカーでもある銘建（めいけん）工業が本社を構えておられますね。

太田　はい。同社をはじめ、木材関係の業界全体を巻き込んで、本市は2015年にバイオマス発電所（「真庭バイオマス発電所」）を設置し、大きなエポックになりました。発電能力は、１万キロワットに達し、年間7920万キロワットの電力を供給できます。これは、一般的な家庭の電気使用量（年間3600キロワット）に換算すると、２万2000世帯に上ります。

――貴市の総世帯数は、約１万8000世帯ですから、計算上、バイオマス発電だけで電力の自給率が100％を超えたことになります。

太田　発電した電力は、全量を固定価格買取制度（FIT）で売電しており、おかげさまで順調に稼働しています。

――「真庭バイオマス発電所」は、どのような体制で運用されていますか。

太田　従業員は15人体制で、全員地元の人材が雇用されています。材料になる木材チップの受け入れ、貯蔵、ボイラーへの燃料投入、発電状況の監視などをされています。材料になる木材チップは、山の間伐材になりますから、山がきれいになって防災対策にもなりますし、山のCO_2吸収を促進することにもなるわけですね。

　実際、製材所にとっても、端材が燃料となるので製材所がきれいになりました。それから従来、バークと呼ばれる木の皮においては、わざわざお金をかけて処分していたのを、燃料として有価物になるということで、製材所の経営にもプラスになりました。

――バークについては、いわばゼロ以下のものだったものが有価物になるということですね。

太田　バークを含めて山からの材料については、山主に一定程度お金を直接発電所が還元する仕組みにしています。1トン当たり550円ですけど、既に3億3000万円（2024年1月現在）、山主に還元されています。

――森本教授によると、アウトプットをきちんと出されているのが素晴らしいとのことでした。

太田　私どもは地域経済を考えて、地域資源を使って付加価値をつけていくという政策を採っています。従って、バイオマス発電についても経済効果をきちんと説明できるようにしたわけです。

岡山県真庭市長
太田　昇（おおた　のぼる）
1951年生まれ、岡山県出身。75年京都大学法学部卒業後、京都府庁に入り、96年財政課長、2000年総務部理事兼財政課長事務取扱、01年知事公室職員長、02年知事室長、06年総務部長、10年副知事、13年4月より現職。現在3期目。

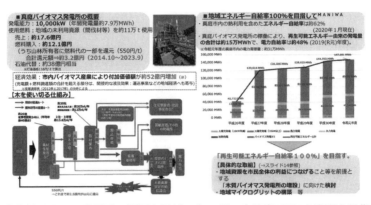

真庭バイオマス発電所の概要と地域エネルギー自給率100％の実現を目指した取組

（出典：真庭市）

　まず、発電所の売り上げが、年間約20億円になります。また、材料となるチップ購入が約15億円です。さらに、産業連関表をつくると、発電までの過程でいろいろな仕事に多くの皆さんが携わっていますから、「真庭バイオマス発電所」がなかったときに比べて、木質バイオマス産業による付加価値が52億円ほど増えていることが分かりました。産業連関表で付加価値が、年間52億出るというのは非常に大きな成果だと思っています。

脱炭素先行地域にも選定。2030年に CO_2 削減51％を目指す

──環境省が進める「脱炭素先行地域」にも早々に選定されたと聞いています。

太田　2030年に CO_2 51％削減していく目標を立て、「森とくらしで循環ゼロカーボンシティ真庭」というコンセプトで、22年に採択されました。

──国が掲げている30年の CO_2 削減が46％ですから、それを上回るペースですね。

太田　もともと本市は、2020年時点で、50年 CO_2 排出実質ゼロを目標とした「2050ゼロカーボンシティまにわ」を宣言していました。同宣言は、六つの骨子（①自然再生エネルギーでゼロカーボン②スマートムーブでゼ

ロカーボン③食と農でゼロカーボン④くらしの中でゼロカーボン⑤木を活かしてゼロカーボン⑥ゼロカーボンでおもてなし）で構成され、「森とくらしで循環　ゼロカーボンシティ真庭」は、これをよりブラッシュアップさせ、公共施設のCO_2実質排出ゼロを目指しています。

——**詳しく教えてください。**

太田　公共施設については、全面的なLED化や屋根などに太陽光・蓄電池の導入を図るとともに、新たにもう1基、バイオマス発電所を増設することに挑戦しようと考えています。大変困難な課題ですが。木材チップだけでなく、広葉樹や早生樹なども材料にしたい、と。それから、生ごみなどを原料にした生ごみなどの資源化施設を整備して、脱炭素化を促進していきます。さらに、30年までに全公用車を次世代自動車化させて、急速充電器の整備も進めていく計画です。

——**生ごみなどの資源化施設とは、どのようなものなのですか。**

太田　一言で申し上げると、生ごみ、し尿、浄化槽汚泥などをメタン発酵させてメタンガスとバイオ液肥に再生させる仕組みです。

　実は、統計を取ると、全体のごみのうち35〜40％ぐらいが生ごみなんですね。それをそのまま燃やしていると。本当に油をかけて生ごみを燃やすなんてもったいない。従って、生ごみを取り出そう、と。それから公共下水道だけでなく、し尿も一部処理しなければなりませんが、浄化槽汚泥もありますので、生ごみとし尿、浄化槽汚泥を混ぜてメタン発酵させると、メタンガスが発生します。そのメタンガスを使ってタービンを回して、電気を起こして発電して、その発電した電気でプラント施設を動かして、最後に液肥をつくります。液肥そのものは、農業に使ってもらい、最後に、残りかすが出ますけれども、それはそれでまた農業用の肥料にできます。

——**液肥については、大きな特長があると、聞きました。**

太田　液肥は、どろどろで臭いがするんですね、それを濃縮化すると黄色い、においの少ない肥料ができます。実は、濃縮化する手間がかかる分、コストもかかるのですが、一方で濃縮しますから、少量まけばいい、と。非常に効率がいいんですね。今、実験していますけど、場合によってはド

地域資源を生かした「回る経済」を確立する
生ごみ・し尿等液肥化事業
生ごみ等資源化事業【生ごみ等の液肥化による資源循環】
（出典：真庭市）

ローンでもまけて、低コスト農業につながります。ちなみに、これは全国初の事業になります。

──**先ほどのバイオマス発電のバーク同様、ごみやし尿を有価物として活用する視点は素晴らしいですね。**

太田　「一石二鳥」という言葉がありますが、まさに「一石三鳥」なわけです。環境に優しくて、低コスト農業にもなって、本市の場合ですと、経済効果も出るというのが、この計画のメリットになります。本市には、ごみの焼却施設が三つあります。まず、生ごみが減る分、一つに集約できる効果が生まれます。それから、し尿や浄化槽汚泥を処理していた施設が老朽化していましたので、それをなくすことができる、と。つまり、生ごみとし尿、浄化槽汚泥を処理する施設をつくりますから、今までの老朽化した施設が要らなくなるんですね。これで、年間約1.4億円浮く計算になります。繰り返しになりますけど、燃焼ごみを減らせるので、環境に優しくて、低コスト農業もできて、そして、本市全体のごみ処理費用が減るという図式になります。

──**生ごみなどの資源化施設は、いつから稼働される計画ですか。**

太田　24年の秋に施設が完成する予定が、今、なかなか電線が入らないと

いう事情がありまして…。それさえ入れば、秋には、本市全体の生ごみなどを処理する施設が稼働することになります。

　もう一つ、この計画には、重要なポイントがあります。それは、市民の皆さんに生ごみなどを分別して、出してもらう意識の醸成です。当然ながら、ごみの処理手数料体系も変えていきますので、「キッチンからバイオマス」というキャッチコピーで、半年くらいかけて、啓発の時間を取っていきたいと考えています。

脱炭素と経済の活性化、市民生活の豊かさが結びついてこそ良循環で進んでいく

──先ほどから太田市長のお話を伺っていて、脱炭素と経済、市民生活を一体化させている戦略づくりが見事だと思いました。

太田　脱炭素が、われわれ人類にとって非常に重要なテーマであることは言うまでもありません。ですから、行政は、少々、経済的に採算が合わなくても、すべきことはしなければならないと思いますが、安定的に長続きする環境政策というのは、経済効果も生まれるとか、あるいは市民生活にとってプラスになるという視点が不可欠です。つまり、環境（脱炭素）と経済の活性化、さらに市民の生活の豊かさの三つが結びついてこそ良循環で進んでいくのだと思います。

──確かにその通りですね。

太田　本市のバイオマス・SDGs・脱炭素までの取り組みは、本市にとって重要なリソースである木材資源をどのように有効活用していくかという視点で、1990年代後半から醸成してきたことが起源になっています。

　2013年に私が市長に当選して以降、14年にバイオマス産業都市、18年にSDGs未来都市、19年地域循環共生圏プラットフォーム、そして、先述した「脱炭素先行地域」に22年に選定されてきたわけです。この間、私どもは「地域資源である木材資源を中心に、いかに『回る経済』を確立するかに注力してきました。

──こうした考えのもと、先ほど説明された経済効果を、きちんとアウト

プットとして発信されてきたわけですね。

太田　国の RESAS（地域経済分析医ステム）で本市の地域経済循環率を計算してみると、10年時点が69.4％、18年時点では75.5％と６％近く上がりました。もともとそんなに数字が高くないということもあったわけですが、脱炭素と経済をうまく結び付けていけば、本市はさらに発展していけるポテンシャルがあると見てよいでしょう。ただ今後の本市の在り方を展望すると、数字の向上だけでなく、市民生活の豊かさ、つまり市民一人一人に生活の質を訴求していくアプローチが必要になると実感しています。

市民生活の豊かさを実感してもらう最適解として、脱炭素問題を捉える

──先ほど市民生活の豊かさ、すなわち市民一人一人に生活の質を訴求していく政策アプローチについてコメントいただきましたが、もう少し詳しくご説明いただけますか。

太田　これは、わが国が本格的な人口減少時代に入ったことと関係があります。国立社会保障・人口問題研究所の分析によると、本市の15～65歳までの生産人口は、2020年から50年までに約半分になるという厳しい結果が出ています。私どもとしては、「せめて半分にまでならないようにしたい」という思いがあって、人口減少対策には、最大限取り組んでいますが、減るものは減ってしまうわけですね。ですから、少々、人口が減っても、地域の活力、安全性や市民生活の豊かさをきちんと維持していけるようにしていきたい、とも思うわけです。そのために何をするのかというのが、私の大きな問題意識なのです。

　実際、欧州と比べてみると、可住面積当たりの人口密度は、決して真庭でも低い方ではないんですね。そういう意味では、もっと可住面積当たりの人口密度の低い欧州の国で、例えば、フィンランドやデンマークなどでも幸福度１番などの統計が出ていますので、そういう地域をつくることが可能ではないか。つまり、人口減少を多少緩やかなものにしながらも、豊かさなり新たな価値が感じられるような地域をどうつくるかが求められて

【環境学習】

持続可能な社会の担い手育成を目的に、企業等多様な主体と協働し、地域資源を活用した環境学習を平成21年度から実施。省エネ講座や食品ロス削減講座など15講座を展開中。

	小中学校		市内団体	
R3	57回	1,155人	17回	299人
R4	80回	1,497人	12回	164人

あかりのエコ教室

3種類の電球で消費電力の違いや仕組みを学習、実験する。

食品ロス削減教室

世界の食品ロスの現状を学習し、国内や企業の食品ロス削減に向けた取組を学ぶ。

【真庭市SDGsスタートブック（小中学生向副読本）】

令和4年4月から活用中。市内のSDGsの取組の他、17の目標について分かりやすく記載。

【温暖化対策啓発動画"じゃろーがーなりちゃん"】

令和5年10月から活用中。市内の小中学生が出演して、地球温暖化の影響や真庭市の脱炭素の取組を紹介し、家庭で実施できる脱炭素につながる取組などを呼びかける。

「環境教育・ESD実践動画100選」に選定！

ゼロカーボンシティまにわ〜環境教育の取組〜

（出典：真庭市）

いる気がします。そういったときに、地域自治を基本にしながら、一人一人が自立して、共生社会をつくっていく。そして、人々がつながり、交流することによって、全体の活動量が多くなっていく。例え、人口が減っても「人×活動量」があまり減らなければ、私は活力ある地域として維持できるのではないかとも考えているのです。

——つまり、**市民生活の豊かさを実感してもらう最適解として、脱炭素問題を捉えておられる、と。**

太田　ご指摘の通りです。例えば、私どもは、22年度に「脱炭素社会に向けた市民会議」を計5回実施しました。10〜80歳代の市民に参加していただき、「あるべき真庭市の未来像」「脱炭素の課題とは」などをディスカッションしてもらいました。さらに持続可能な社会の担い手育成を目的に、民間企業などとも協働し、地域資源を活用した環境学習を09年度から実施しています。

——**先述された「2050ゼロカーボンシティまにわ」においても「暮らしの中でゼロカーボン」を打ち出されていますね。**

太田　省エネ製品や脱プラスチック製品など環境負荷の少ないものを使っていく考え方を市民生活の中に定着させる狙いで、マイボトル運動を推進しています。まず、市内の公共施設5カ所に給水スポットを設置しまし

た。さらに市内店舗にも協力してもらい、マイボトルで飲み物が買える店が37軒、マイ容器で商品が買える店が56軒、マイボトルで給水ができる店が56軒など、民間の協力も徐々に広がり、市民の皆さんも効果を実感できるようになっています。

――観光についても、環境に優しい観光の仕方を模索しておられる、とのことでした。

太田　観光は、市外からの観光客に対するおもてなしや交流という面はもちろん、市民の皆さんが普段気付かない自分たちのリソースに対する再発見という、地域の「光」を観せる意味において非常に重要なファクターだと捉えています。私どもはSDGs未来都市の指定も受けていますが、「バイオマスツアー」を06年から進めています。

――21年に、貴市の代表的な観光地、蒜山（ひるぜん）高原に、建築家・隈研吾氏設計による「GREENable HIRUZEN」（愛称・「風の葉」）が設置されました。「風の葉」も、貴市のシンボルマークとして重要な意味を持つのではありませんか。

太田　その通りです。「風の葉」は、来場数27万人を突破し、インスタグラムフォロワー数3400人を突破しました。世界で最も権威のあるファッション誌「VOGUE（ヴォーグ）」でも紹介されています。自分たちのまちには、多くの人たちから評価される素晴らしいリソースがあるということ自体が、励みになりますし、活力になっていくと確信しています。

真庭市蒜山（ひるぜん）高原にある建築家・隈研吾氏デザインのGRE-ENable HIRUZEN（愛称「風の葉」）
（出典：真庭市）

――貴市の展開される脱炭素に関わるさまざまな施策が、市民の皆さんのシビックプライド（地域への誇りと愛着）醸成につながることをお祈りしています。

太田　今後はさまざまな面から、自分たちのまちへの愛着、つまりシビックプライドの醸成こそが重要な意味を持つと考えています。次の本市の総合計

画は24年度に策定し、25年度からスタートすることになりますが、シビックプライドの醸成がベースになっていくと考えています。

──ありがとうございました。

座談会

「エネルギーの地産地消による
地域内経済循環」で実現させる、
環境にやさしい地域づくり

鹿児島県肝付町
町長

永野　和行

経済産業省
資源エネルギー庁
次長

松山　泰浩

おおすみ半島スマート
エネルギー株式会社
代表取締役

村上　博紀

カーボンニュートラル実現に向けて

――温室効果ガスの排出を全体としてゼロにする"カーボンニュートラル"。2020年10月、当時の菅総理は所信表明演説において50年までにカーボンニュートラルを目指すとして、現在、その実現に向けて国を挙げた取り組みが進められています。

　今回の座談会では、その具体的な政策について経済産業省資源エネルギー庁の松山泰浩次長に触れていただきながら、地方自治体の施策について鹿児島県肝付町の永野和行町長に、また自治体と連携した民間企業の取り組みをおおすみ半島スマートエネルギー株式会社の村上博紀社長にお話を伺わせていただきます。

　ではまず、資源エネルギー庁の松山次長よりカーボンニュートラル実現に向けた政策、そして現状についてお話しいただけますでしょうか。

松山　50年カーボンニュートラルの実現は、政府全体の方針として、その取り組みが進められています。これは地球温暖化という地球規模の課題、気候変動や温暖化への対策といった地球を守るための取り組みであり、石油や石炭、天然ガスなどを海外からの輸入に頼っている資源の乏しいわが国において、いかにエネルギーを持続可能、かつ安定供給させるかといった問題に直結するテーマとも言えます。

　近年、カーボンニュートラルとともに「GX」（グリーントランスフォーメーション）といった言葉をよく耳にします。これは温暖化対策で地球を守らなければいけない、あるいは化石燃料を使用せず、わが国の環境、経済・産業を守らなければいけないといったことに加え、それに対する新しい投資、そのためのイノベーションを生んでいくことを指しています。このイノベーションを生む新しい産業、次の時代を作り出す産業を応援していくことでカーボンニュートラル時代を勝ち抜けるようなリーディングカンパニーやリーディング技術が生まれていくと考えています。

　現在、地球環境問題、エネルギーの安定供給に対する不安が大きな問題になっていますが、この危機的状況をチャンスに変え、次の時代を作り出

す産業政策にしていくのがGXであり、そのための取り組みを推進してい
ければと考えています。また、その際に重要になってくるのが、現行のエ
ネルギーを活用する社会は、既存の概念や社会、地域に根差しているとい
う点です。次の時代には、石油や石炭、天然ガス、電気といったこれまで
の前提や常識によってつくられた産業や社会、地域を変えていく必要があ
ります。カーボンニュートラルやGXはエネルギー政策だと捉えられがち
ですが、決してそんなことはなく、これらは産業の話であり、またわれわ
れの生活や暮らし、地域の話でもあります。この生活や暮らし、地域がど
う変わっていくかというのが非常に重要な部分だと思っています。

**――地域の話という意味では、地方自治体の果たす役割は非常に重要にな
りますね。**

松山 そうですね。一口に地域、あるいは「何が変わるか」と言ってもさ
まざまです。例えば地域に根差した産業として石油コンビナートがあった
とします。では使うエネルギーが変わっていったらどうなるのか。もしか
したら将来は水素を使うかもしれませんし、あるいは太陽光や風力などの
再生可能エネルギー（以下、再エネ）の活用が進むかもしれません。ま
た、まったく別の未来のエネルギーを軸にした次世代コンビナート、産業
工業地帯に変わるかもしれません。そうすると、当然、集積している産業
や企業、またはそこで働く人たちの仕事も変わっていきます。

　「リスキリング」という言葉がありますが、企業もGXを進めていく中
でその姿は変化していきますし、それに応じて地域や生活する人も変わっ
ていきますので、その活動に即した集積や職場、インフラなどの準備をし
ていく必要があるのかもしれません。

　そういった点では、肝付町が進めている化石燃料由来の電力ではなく、
太陽光や地域にある水力、バイオマスなどの再エネを活用することで地域
の中でエネルギーを完結させる取り組みは石油やガス価格の変動から独立
し、ある意味で自立した地域社会を守るための重要な取り組みと言えま
す。今回はぜひ、そのあたりについてのお話も伺わせていただければと思
っています。

経済産業省　資源エネルギー庁　次長
松山　泰浩（まつやま　やすひろ）

1969年10月生まれ、鹿児島県出身。私立ラ・サール高校、東京大学法学部卒業。
92年通商産業省入省、2012年7月経済産業省資源エネルギー庁資源・燃料部石油・天然ガス課長、12年12月経済産業大臣秘書官（事務取扱）、14年資源エネルギー庁省エネルギー・新エネルギー部新エネルギー対策課長、16年大臣官房参事官（ロシア担当・系統担当）、17年資源エネルギー庁長官官房総務課長、18年資源エネルギー庁省エネルギー・新エネルギー部長、20年資源エネルギー庁電力・ガス事業部長を経て23年7月より現職。

——なるほど。鹿児島県の東南、大隅半島の東部にある肝付町。12世紀から続く流鏑馬やロケット打ち上げ施設の内之浦宇宙空間観測所があることでも有名です。また観光や宇宙政策だけではなく、エネルギー政策や地域活性化といった点でも先進的な取り組みを進めていると伺っています。永野町長、肝付町のエネルギー政策についてお聞かせください。

永野　では、まず肝付町について簡単にお話させていただきます。地理的な部分については触れていただきましたので、それ以外としては人口1万3963人（23年12月現在）、産業構造としては第一次産業が19.7％、第二次産業が24.8％、そして第三次産業が55.5％となり、過半数を占める第三次産業の中でもサービス業の比率が高くなっています。

　そんな私たち肝付町がエネルギー政策、エネルギーの地産地消に向けた議論を始めた当時、実はカーボンニュートラル実現といった議論にまで及ばなかったというのが正直なところです。それでも議論を深め、エネルギーの地産地消を行いながら、まちづくりを進めるためにこれまで屋根の上のメガソーラー計画をはじめ、さまざまな取り組みを進めてきました。

　先ほど松山次長に触れていただき、地球温暖化が進み、また社会環境が大きく変わる中にあってエネルギーの地産地消という肝付町が目指す方向に間違いはなかったと認識を新たにしたところです。今後は、これをどう構築していくか、一つの自治体として、あるいは大隅半島、鹿児島県として議論していきたいと思っています。

高山地区：鹿児島県肝付町
（出典：肝付町、おおすみ半島スマートエネルギー）

　また活用するエネルギーには、再エネや水素などもあります。これらを
うまく取り入れた地域社会をつくっていく、あるいはスマートタウン化し
ていく。これには AI も絡むでしょうし、IT も関係してきます。そうし
たさまざまなことを想定しながら、新たな挑戦を進めていきたいと考えて
います。もちろん新しい取り組みには越えなければいけない壁もありま
す。それでも壁を越えた先には目指すべき新しいまちの姿があると信じて
努力しているところです。

　では、肝付町のエネルギー政策として、少し具体的な部分にも触れてお
きます。肝付町にはもともと風力や水力、バイオマス、太陽光といった複
数の自然エネルギーがあり、それを活用できないかと考えたのが再エネ活
用のはじまりです。

　せっかくある自然エネルギーを活用し、地域のエネルギーは地域で回し
ていく、そのための仕組みが必要と考えて設立したのが、おおすみ半島ス
マートエネルギー株式会社になります。

**――では、おおすみ半島スマートエネルギーの村上社長に伺います。今、
永野町長より貴社設立の経緯についてのお話がありましたが、改めて、お**

おすみ半島スマートエネルギーの事業とこれまでの取り組みについてお聞かせください。

村上　当社は17年に肝付町から３分の２、残りを地元事業者からの出資により設立しました。前年の16年には、電力の小売全面自由化が始まりましたので、多くの自治体でも同様の取り組みが始まったことを記憶している方も多いかもしれません。自治体は複数の公共施設を有していますが、そうした施設の維持に必要な電気代を外部に支払うのではなく、内部で循環できるようにするといった意図もあって当社は設立しました。

　当初は、取り次ぎという形で事業をはじめ、半年ほどかけて事業者登録をして設立から１年後に小売電力事業者としての事業を開始、今年で６年目になりました。現在は、小売りだけではなく、肝付町が整備している光回線網を活用して、光回線の販売、いわゆる総務省が実施している光コラボレーション事業なども行っています。それ以外にも戸建て向けの太陽光発電施設の設置、PPA（Power Purchase Agreement：電力販売契約）やリースなどを100件ほど実施しています。おそらく地域新電力、自治体新電力としてこうした事業を展開しているのは全国でも珍しいのではないでしょうか。

　また需給管理についても完全内製化していますので、まちに新たな仕事、そして雇用を生んでいるという点で地域に貢献できていると自負しています。

地方自治体として取り組むエネルギー政策と事業

──冒頭、松山次長よりカーボンニュートラル実現に向けて果たすべき地方自治体の役割についてのお話がありました。では肝付町の取り組むエネルギー事業の今後の展望を伺いつつ、議論を深めていければと思います。

　まずは永野町長と村上社長に肝付町におけるカーボンニュートラルの実現に向けた事業や取り組みについてお伺いします。具体的にはどういったことを進めようとお考えなのでしょうか。

永野　カーボンニュートラルの実現に向けては、本当に高いハードルがあ

りますが、まずは地域の方に取り組みを理解していただくことが重要だと思っています。そして、その取り組みは防災対策や経済対策といったさまざまな分野に波及していくと考えています。特にその土地柄、肝付町ではたびたび停電が発生していますので、防災対策としての再エネの活用については、いち早く理解を求めたいと思っています。また高齢化が進む地方では自動車免許の返納を進めていますが、その代わりにタクシーやバスの利便性を向上させる、さ

鹿児島県肝付町　町長
永野　和行（ながの　かずゆき）
1951年1月生まれ、鹿児島県（肝付町後田）出身。鹿児島県農業講習所卒業。
旧高山町職員、企画課長、肝属合併協議会事務局長、肝付町農林水産課長などを歴任。2009年7月31日鹿児島県肝付町長（一期目）、13年7月31日鹿児島県肝付町長（二期目）、17年7月31日鹿児島県肝付町長（三期目）、21年7月31日鹿児島県肝付町長（四期目）現職。

らにはタクシーやバスを EV に変更したり、エネルギーや電力については再エネの充填施設を各地に設置するなど新しいモビリティサービスを活用するなどして、エネルギーを取り巻く新しい社会を意識付けるといった取り組みも進めています。

　こうした取り組みは地域住民が一体となって進めていく必要がありますし、エネルギー会社や役場などが単独で実現できるものではありませんので、肝付町では地域商社を立ち上げる準備を進めています。この地域商社と連携し、新しい地方自治体の仕組みの中でカーボンニュートラルの実現を目指していければと思っています。

村上　まちの会社である当社は、まちとともにカーボンニュートラル、脱炭素の実現に向けて取り組みを進めていくことに何の問題もありません。もちろん株式会社ですので、企業として環境だけではなく、経済の側面にも注視していく必要はあります。松山次長から GX は環境対策だけではなく、経済施策でもあるといったお話もありましたが、その部分は今後も事

おおすみ半島スマートエネルギー株式会社
代表取締役
村上　博紀（むらかみ　ひろき）
1974年9月生まれ、鹿児島県（志布志市）出身。国立
都城工業高等専門学校卒業。
95年インフラテック株式会社入社。技術部、技術営業
部勤務、2017年4月よりおおすみ半島スマートエネル
ギー株式会社入社、19年7月より現職。

業を展開していく上で非常に重要だと考えています。

特に、再エネの発電コストは化石燃料の発電コストに負けないくらい下がってきていますので、それを活用しない手はありません。われわれとしては、経済対策としての意味合いからも太陽光発電を中心とした再エネの普及であったり、地域課題の解決に使えるような再エネの普及を図りながら、永野町長の話にもあったEV車を活用した交通政策や地域商社の立ち上げから事業のタイアップなど、エネルギー政策を伴奏していくといった姿勢は変えず、企業としても一つの事業を組み立てるような方法で携わっていきたいと考えています。

──では各事業、取り組みの詳細についてお伺いします。まず「防災対策としての再エネの活用」とはどういったものなのでしょうか。

永野　18年9月、北海道胆振東部で発生した最大震度7の地震により北海道全域の停電、いわゆるブラックアウトが大きな契機になりました。同様のことを2度と起こさないよう自治体として必要な対策、備えについて検討してきました。その中で防災対策としては、電気が遮断されても太陽光発電を活用できるような、あるいは蓄電池で当座をしのげるような対策が必要だろうと考え、そのための施策を進めています。

もう一つはスマートタウンです。具体的なステージには至っていませんが、今後はそうしたまちづくりが必要になってくると考えています。

そして、そうしたまちづくりを実現させながら、地域住民の意識改革、新しいまち、住みたいまちという意識を持つためのきっかけとして、電力

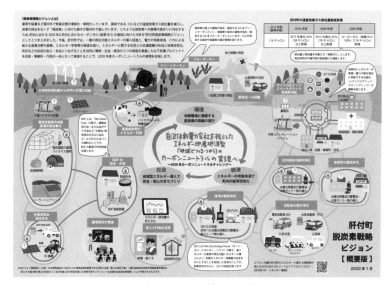

肝付町脱炭素戦略ビジョン〔概要版〕
（出典：肝付町、おおすみ半島スマートエネルギー）

が遮断されても安心して生活できる環境の実現が大きな目標になっています。

村上 民間企業としては、行政の手の届かない部分、例えばPPA（Power Purchase Agreement：電力販売契約）という手法を使って公共施設に太陽光を設置するなどの検討を行っています。どうしても行政、自治体は台風などの自然災害が発生しようが停電になろうが、維持しなければいけない施設・機能がありますので、そうした部分で再エネを活用できればと考えています。

肝付町は電力系統の末端になりますので、毎年台風の時期には3日〜1週間くらい停電が発生することもあります。地域住民の方も慣れているところはありますが、行政としては運営しなければいけない部分もありますし、高齢者にとっては命に関わる場合もありますので、われわれは公民館など一時避難場所に太陽光発電を設置し、快適とはいえないまでも最低限避難できるような場所を確保するといった対策に尽力しています。

そしてスマートタウンについてのお話もありましたが、現在、われわれ

113

新富地区公民館：鹿児島県肝付町
2023年おおすみ半島スマートエネルギーが町へ寄贈した太陽光発電設備
（出典：肝付町、おおすみ半島スマートエネルギー）

は10区画ほど区画整理し、その中でグリッドを組んで太陽光や蓄電池など
をシェアできるエリアの構築を検討しています。それだけではなく、区画
の住民がセカンドカーとしてシェアできる EV 自働車の提供なども合わせ
て検討しています。そうした区画を整備し、また増やしていければ移住を
検討する方も増えていくのではないかと考えています。古き良き日本では
ありませんが、まちにコミュニティがあり、シェアスペースで週末には
バーベキューパーティをする。それによってまた新しいコミュニティが生
まれる、そんな事業を展開していければと考えています。

松山　同感です。一口にカーボンニュートラルと言っても、その事業や取
り組みにはさまざまなものがあります。よく「電気やガスのカーボン
ニュートラル化に向けて、再エネを増やさなければいけない」という言葉
を耳にします。確かに間違いではありませんし、再エネを増やしていくこ
とも重要です。しかし、そうした発展が地域で暮らす人々が望んだ形にな
っているのか、地域の産業と融和しているのかという点は非常に重要で
す。

　だからこそ、カーボンニュートラルの実現に向けては思考停止せず、み
んなの夢や幸せに暮らしたいといった原始的な思いを意識して、そんな思
いに寄り添った形での実現を目指していくのが新しい時代の社会だと思っ
ています。

　もちろん、そうした夢や思いを実現していく、具体化していくためには
ビジネスとしての提案も必要になります。政治や政策に携わる方の多くが
ビジネスを苦手としています。せっかく自分、あるいは地域の夢や理想を
語っても実行に移す際のビジネス的な視点がなければ政治・政策もまわり
ません。永野町長は先ほど地域商社を立ち上げてカーボンニュートラルの
実現を目指すとお話されていましたが、この部分のお話をぜひ伺いたいで
すね。

**――では地域商社との連携による担い手不足解消と地場産業の向上につい
て永野町長にその取り組みについて伺わせていただきます。**

永野　確かに肝付町のような地方自治体、というより行政だけで事業や施
策を進めていくのには無理があります。公人・公務員としては難しい部分
もありますが、ビジネスという視点をもっておかないと事業を継続してい
くことはできません。そのため肝付町ではスマートエネルギーの会社をは
じめ、地域商社や会社を立ち上げ、ビジネス展開できるようなところと連
携しながら、事業や施策を進めると同時に仕事もつくっています。既にス
マートエネルギーの分野では村上社長が太陽光パネルを使った再エネの活
用を展開し、地元の電気工事店さんなどと連携した事業を進めています。

　このように官民連携し、また地元で完結できるようなビジネスを展開、
構築していく。もちろん現在の肝付町では成し得ない部分もありますの
で、そういった部分を地域商社に担ってほしいと思っています。役所だけ
ではできないところは地元の企業が、企業単体では難しいのであれば複数
の企業で、そこには老舗企業はもちろん、スタートアップ企業も交えて議
論を重ね、実現に向けて共に協力していければ地元の産業もより盛り上が
っていくのではないでしょうか。

　実は、産廃を手掛けている地元の企業から「そろろそ太陽光パネルの処

理を考えておかなければ、いずれ大変なことになる」といった言葉をかけられました。実際その通りで、われわれも大阪の展示会に行くなど情報収集をしながら、太陽光パネルの今後の展開についての議論を進めています。こうした点からも技術革新が進む中で、新しい技術を取り入れながら事業を展開させていくためには、官民連携が重要になってくると考えています。また技術革新にともなう官民連携、異業種・他産業間連携のつながりは太陽光パネルなどの再エネ分野だけではなく、農業や水産業をはじめとするさまざまな分野でも同様です。そうした異なる産業の結び付きによって本質的なカーボンニュートラルが意識されていくのではないでしょうか。

　ビジネス視点を持つ。これまで行政という立場から十分に取り込むことができなかった部分です。今は村上社長をはじめ、肝付町と連携して事業を展開してくれる企業も増えてきましたが、今後はそれだけではなく、地域の産業を興していく、そんな視点をもって事業や施策を進めていきたい、それが地域商社をつくる理由の一つです。

松山　素晴らしい取り組みだと思います。永野町長は「これまでできなかった」とおっしゃいましたが、これまでは必要なかったのかもしれません。行政を進める中で、あるものを使い、できることをやっていけば十分だった。しかし、これからはGXのX、トランスフォームしていかなければいけませんし、カーボンニュートラルの実現に際してはこれまでとはまったく異なる時代が来ることが想定されます。

　そうなると今あるものを、どうつなげていくか。これまでのものを一度壊して再編することがトランスフォームであり、そこがカーボンニュートラルの肝だと言えます。これまでにないつなぎ方、先ほど産業についてのお話がありましたが、非常に重要な視点だと思います。例えば、再エネはパネルそのものではなく、パネルで発電して最後には処理していく、つまりは再投資し、整地して地域の方々と共生していくところまでを含め、これらを全部アレンジすること自体が再エネ事業といえます。しかしFIT（Feed-in Tariff：固定価格買取制度）によって投資する投資商品のように

なってしまったことは問題であり、きちんと産業化し、事業化して地域の産業になっていくことで、肝付町、あるいは大隅半島だけではなくより大きく広がり、展開していけるのではないかと思っています。

　トランスフォーメーションとは何なのか。既存の産業や社会を守る立場から言えば、これまでの産業や雇用を奪う心配にもなり得ます。しかし見方を変えると、時代・社会の移り変わりに応じて新しい産業やビジネスエリアが増えることになると考えています。この時代の移り変わり、変革に対していち早くニーズに即した形で実施するところに、おそらく地域商社の役割があるのでしょう。そこで村上社長、スマートエネルギーの取り組み、事業展開が一つの指針になってくるのかもしれませんね。

村上　そうですね。それこそ太陽光パネルのお話の中で、投資目的のFIT に触れていただきましたが、確かに、そうした側面があることは否めません。しかし、それをも組み込まなければいけない部分もあると思っています。

　例えば、FIT 開始により急増した太陽光パネルが制度終了とともに大量廃棄される「2030年問題」があります。現在、多くの事業者がリサイクルといった形で対応していますが、正直、追いついていません。そのため、われわれも他の自治体とともに太陽光パネルをリユース（再利用）するための事業が確立できないか検討・模索しています。この分野は、全国的にもまだ確立しておらず、どこから手を付けて良いかわからない状態からのスタートになりますし、こうした再エネの取り組み一つであっても、それが他にどう波及するかわかりませんので、一つ一つを丁寧に、また慎重に進めているところです。

松山　状況が未確定で、何も決まっていないというのは別の見方をすると、新しいビジネスのネタがあるということですし、物事を進める必要があるということは、そこに産業、少なくとも何らかのアクションが必要になる場面と言えるかもしれません。

　もう一つ、その先の再エネについて触れると、われわれは投資家が投資し、地域に設置した太陽光パネルの総体の捉え方、単に投資利益を上げる

肝付町立高山中学校に設置された太陽光パネル
（出典：肝付町、おおすみ半島スマートエネルギー）

ための対象となってしまっていること、私はこれを「FIT病」と言って
いますが、それがやや強いのではないかと感じています。再エネ発電所が
作る電力が供給され始めている以上、その地域は、土地を貸して、少なく
とも地域を通じて電力供給に供されている、大隅半島や肝付町でいうとこ
ろの地域エネルギーとしてなくてはならないものになっているわけです。
これは地域住民の生活を構成するエネルギー供給基地といいますか、ある
意味で市場メカニズムによって自動選別され、その場所が選択されたわけ
ですから、これをどう維持し、エネルギー供給の形を未来に向けて続けさ
せるか考えなければならない。そこには太陽光パネルの供給からリサイク
ル・リユースの問題も含まれているのではないかと思います。

　そのため行政・役所はその部分を積極的に応援していく必要があると考
えています。メカニズムを作り、太陽光パネルの置き換え・張り替え、も
しくは一連の作業を確実に実施していくためには自治体が管理していく、
くらいの気持ちはあってもいいと考えています。条例もありますし、これ
は自治体の物だから、自分たちで管理していくといった方向に移行してい

かなければ、エネルギーインフラとしての役目を果たせていけなくなる可能性もあります。この部分は、トランスフォーメーションの中でも重要な要素なのではないかと考えています。

村上 同感です。せっかく作った太陽光パネルであれば、資産として、また長く使うためにリプレースを含めて、町などの自治体とともに事業者に対してのアプローチはわれわれも行っていきたいと思っています。

――永野町長から、モビリティの活用や脱炭素とオフグリッドタウンの実現というお話もありました。具体的にどういった取り組みなのでしょうか。

村上 これは私感になってしまいますが、肝付町には高校が中高一貫の一校しかなく、それ以外は隣町の高校に行くことになります。肝付町には鉄道がありませんので、バス通学が主になりますが、バスの便が少なく部活動に間に合わないなどの理由から大半の生徒は親が送り迎えをしたり、原付バイクで通学したりしています。

そんな状況を変えたい、もちろん脱炭素への取り組みといった面もありますが、親の負担を減らすことはできないかと考え、例えば朝夕だけでもEVバスで往復することはできないか。あるいは肝付町も多分に漏れずタクシー・運転代行が不足していますので、そういった対策として国も進めるライドシェアなどにEVを活用して、グリーンなモビリティとしてビジネス展開できないかと考えています。

永野 隣町まで通学しなければいけない生徒をはじめ、いわゆる交通弱者が増加している中において、こうした取り組みは地域で生活する以上、なくてはならないものだと思っています。

オフグリットタウンもモビリティと同様に実証しながら広げていく必要があると思っています。過疎・高齢化が進む中で自治体が抱えるひずみは広がる一方で、立ち止まっていられない状況にあります。座して死を待つか、あるいは情報を集めて解決策を打ち出し、実証し、実装し、安心して暮らせるまちにしていく。これを基本的にまちのブランドとして成立していけばと思っていますし、いずれは農畜産物や海産物についてもブランド

内之浦地区：鹿児島県肝付町
（出典：肝付町、おおすみ半島スマートエネルギー）

化していければと考えています。

松山　肝付町にはロケット打ち上げ施設（内之浦宇宙空間観測所）があり
ますが、そういった部分のブランド化などの構想はあるのでしょうか。

永野　そうですね。夢としては菜種油（菜の花）で月へ行けないか、そん
な構想をもっており、これを地域活性化につなげていければと思っていま
す。ロケットも燃料に水素を使っていますが、固体燃料については化石燃
料を使用している部分もありますので、その部分を環境に優しい菜種油で
代替できれば、新しい社会・宇宙が生まれるのではないかと期待していま
す。

2050年カーボンニュートラル実現に向けた官民連携

──菜の花で宇宙とは、素敵な夢ですね。さて気候危機の回避に向けて、
世界的な取り組みとして進められるカーボンニュートラル。2050年の実現
に向けては、官民、そして国と地方自治体の連携も必須といえます。次の
世代に豊かな自然、地球をつないでいくためにも政策、事業の実現が望ま

れます。

では、最後に本日のまとめ、総括として一言お願いいたします。

永野 いろいろなお話をさせていただきましたが、大げさに2050年カーボンニュートラルの実現を目指すというのではなく、われわれは過疎・高齢化が進んでいく中で、地域をどう維持・発展させていくのか。そして、地域の困りごとをどう解決していくのかに注視しています。その中の一つであるエネルギー、それがカーボンニュートラルにつながっていくのではないかと考えています。

それを念頭に置きながら、これまでのお話にありました「チャレンジの失敗を恐れるな、何もしないことを恐れよ」という言葉を常に胸に刻みながら、これからも肝付町の歩みを進めていきたい、そう思っています。

村上 永野町長から自治体を維持していくといったお話がありましたが、われわれは、それとともに企業を運営していかなければいけませんので、これからもエネルギーをコンテンツとしたビジネスを行っていきたいと考えています。そのため、例えば「ゼロカーボン、カーボンニュートラルをみんなでやっていきましょう」と言っても多くの住民はピンとこないかもしれません。しかし「電気代が安くなりますので、こんな取り組みを進めましょう」と言えばみんながついてくるというように、私たちが行政の取り組みを分かりやすく伝え、提供していければと考えています。

ハード面からは、さまざまな施設に再エネを普及させていくというのがまず一つになりますが、あわせてソフト面として脱炭素につながるような啓発活動も必要と考えています。例えば食料自給率はエネルギー換算で約40%しかありませんし、それ以上にエネルギー自給率は10%しかありません。しかし、そういった事実を知らない住民が多いということをわれわれ民間企業が伝えていき、それをわれわれはビジネスとして活用していく、そんな事業・活動を今後の取り組みとして進めていきたいと考えています。

松山 今回お話を伺い、自治体として肝付町の取り組み、そして行政と連携し、伴走する企業としておおすみ半島スマートエネルギーの事業は非常

座談会風景

に興味深く、また立派だと思いました。鼎談のテーマはカーボンニュート
ラルの実現でしたが、現在、世界は非常に大きな変革の中にあります。そ
れはピンチであり、またチャンスでもあります。そして、それは企業をは
じめ、人や地域にとっても同様です。永野町長から地方は過疎・高齢化が
進んでいるといったお話がありましたが、そうした課題を解決するための
新しい技術や新しいエネルギーの供給が生まれてくるためにチャレンジし
ていく時期にあると思っています。その中で国としても、そうしたチャレ
ンジがしっかりと動いていくような取り組みをしていかなければならない
と改めて思うことができました。その時には首長、あるいは地域のリー
ダーとビジネスサイド、そして国や中央省庁の「三本の矢」で頑張ってい
く必要がありますので、そのために精一杯努めていきたいと思っていま
す。本日はありがとうございました。

——**本日はありがとうございました。**

第3章

神戸セミナー
実践レポート／水素セミナー

水素社会実現に向けて、
水素ハブの構築を

　2023年6月13日、神戸市と株式会社時評社は、水素セミナー「水素社会実現に向けて、水素ハブの構築を」を神戸市産業振興センター・ハーバーホール（神戸市中央区東川崎町1－8－4）で開催した。

　23年6月、政府は「水素基本戦略」を改定したが、同戦略のポイントや今後の展望などが西村康稔経済産業大臣はじめさまざまな立場の講師から分かりやすく解説されたほか、「水素スマートシティ神戸構想」を掲げる久元喜造神戸市長が水素ハブ実現に向けての同市の取り組みを説明。また、民間からは金花芳則川崎重工業取締役会長や大林組安藤賢一常務執行役員らが登壇し、同市で進められている具体的な実証事業が紹介された。さらに政界からは工藤彰三衆議院議員（自民党水素社会推進議員連盟事務局長）も駆け付け熱いメッセージを寄せた。

　「水素基本戦略」改定直後のタイミングや、水素ハブ実現に向けての先進的な事例が報告されるとあって、会場には多くの聴講者が集まったほか、web配信にも全国から多数の聴講者が参加し、熱心に聞き入っていた。

（なお、講演内容や講師の役職についてはセミナー開催時のものになります）

水素セミナー
「水素社会実現に向けて、水素ハブの構築を」のポイント

▶ 政府は、「水素基本戦略」を6年ぶりに改定した。同戦略は、「水素産業戦略」と「水素保安戦略」で構成され、水素導入目標や大規模かつ強靱なサプライチェーン構築、拠点形成に向けた支援制度の充実など四つの骨子で構成されている。

▶ 今回改定された「水素基本戦略」のポイントとして、燃料電池と電気分解する電解質（SOEC）が挙げられる。また基準価格を決めて買い取り制度を盛り込んだことだ。これにより、一挙に水素が伸びていく可能性がある。

▶ 神戸市は、燃料電池の利活用促進や水素ステーションの整備など五つの柱で構成される「水素スマートシティ構想」を掲げ、水素エネルギーの利活用を積極的に推進している

▶ 国土交通省は、港湾行政においてカーボンニュートラルポート（CNP）の形成などをセットで進めている。港湾にはCO_2の発生源が集積しており、活用できるインフラが豊富にある。つまり、わが国の脱炭素化に必要な機能を兼ね備え、水素などの新エネルギーの供給の要になる。

▶ 川崎重工業は「つくる」「はこぶ・ためる」「つかう」という一気通貫でのサプライチェーンを、日豪両政府や神戸市の支援のもと、完遂させた。この実績をもとに、日本の水素国際サプライチェーン構築に向けて貢献していきたいとしている。

▶ 大林組は、中長期環境ビジョン「Sustainability Vision 2050」を策定し、国内・国際部門とも、全社を挙げて2050年の脱炭素化に向けて取り組んでいる。

▶ 水素バリューチェーン推進協議会は、①水素社会を構築するために、水素の需要を創出していく②水素のコストを下げるために、業界全体として製造・輸送・貯蔵のコストを技術革新によって削減していく③事業者に対する資金供給などについての検討——などを行っている。

▶ 水素事業の法規制には、現時点では特化した業規制、例えば水素事業法や保安の法体系がない。従って水素事業においては個別事案に応じて適用法令の洗い出しと検討が必要になる。また、既存燃料との値差支援における法的留意点が必要になる。

▶ 水素社会をきちんと実現するためには、法律化し、法制化していくことが必要になる。このため次の国会では、閣法として取り組みたい。「何かあれば国が保証する」という文言を加えて法制化していく。

▶ この30年間のわが国の産業界の実情を見ると、最初は日本の企業が世界の多くのシェアを握り、トップの技術を持っていたにも関わらず、現在はゼロの状態だ。水素社会構築は、資源がないわが国にとって、絶対に推進されるべきテーマだが、過去の事例のように巨額の国富が流出する事態は避けなければならない。

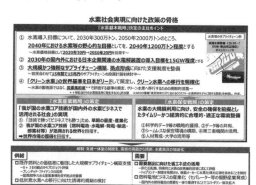

水素基本戦略改定の主なポイント

（出典：経済産業省）

水素ハブの実現に向けた水素スマートシティ神戸構想の取り組みについて

神戸市長
久元　喜造

　神戸市は、①燃料電池の利活用促進②水素ステーションの整備促進③先駆的な水素エネルギー利用技術開発事業の推進④地元中小企業の水素産業への参入促進⑤各業界におけるカーボンニュートラル計画の推進——という五つの柱で構成される「水素スマートシティ構想」を掲げ、水素エネルギーの利活用を積極的に推進している。

　本構想を実現するにあたり、現在、本市では二つの重要なプロジェクトを進めている。一つは、水素サプライチェーン構築実証事業で、オーストラリアでの未利用資源の褐炭（かったん）を利用して水素を製造。液化水素にした上で、専用の運搬船「すいそふろんてぃあ」に積載し、海上輸送して、神戸港に整備された液化水素荷役基地「Hy touch 神戸」の貯蔵タンクに荷揚げして、貯蔵する仕組みだ。同事業は、川崎重工業をはじめ、岩谷産業などわが国有数の民間企業が参画している技術組合によって進められ、本市は、空港島における荷揚げ、公共岸壁の整備など、必要なインフラ整備を担当している。

　二つ目のプロジェクトは、水素発電によるエネルギー供給実証事業で、ポートアイランド内に1メガワット級のガスタービンを設置。燃料を水素100％で燃やし、天然ガスとの混焼も可能だ。2018年4月に成功以来、市民病院やスポーツセンターなどの公共施設に電力、熱エネルギーを供給した。この実証プラントは、市街地の中にあるのが大きな特長で、世界的にも非常に注目されている。

　本市が積極的に水素活用を進めているのには、二つの理由が挙げられる。一つは、水素産業都市としての可能性を見出していきたいという思いだ。元来、神戸には、わが国を代表するものづくり企業が古くから集積し

ており、こうした企業群はそれぞれの時代環境に適合し、時には転換や連携などを繰り返しながら産業集積を進めてきた。例えば、阪神大震災以降の事例では、ポートアイランドを中心に370社前後の企業や研究所が集まるわが国有数のバイオメディカルクラスターとしての一面も挙げられよう。創薬やさまざまな医療機器の開発が実践されており、ものづくり産業のノウハウを蓄積してきた神戸には、新たな産業技術が育つ土壌やポテンシャルがあり、都市としての強みになっている。本市では、中小企業の皆さんも水素産業に参入できるように、水素関連製品の研究・開発・実証に対し、2年間で最大1500万円の補助を行うほか、技術面では、専門知識を有するコーディネーターが産学官のネットワークを活用し人材育成、新製品開発や販路開拓などに対する伴走支援も行う。

　二つ目の理由は、本市が陸海空の交通の要衝として存在してきたという事実だ。実際に、港はエネルギーの輸出入の窓口でもあり、港や空港などの交通インフラは、化石燃料に大きく依存している現状を考えると、神戸がこれからも重要な役割を果たしていくためには、使用するエネルギーを大きく転換させていく必要があるのではないだろうか。

　例えば、陸上インフラでは、関西空港を起点とした大阪湾岸エリアを通過する高速道路網が、神戸六甲アイランドまで延伸。六甲アイランドとポートアイランド、さらにはポートアイランドと和田岬を結ぶ長大橋も完成するなど、30年までに本市を取り巻く道路ネットワークはさらに充実することになっている。

　また、神戸空港に目を向けると、25年には国際チャーター便が就航。30年には国際定期便の就航が決定するなど国際空港になることが決定されている。これを機に、空港施設屋上では太陽光発電を完備するほか、省エネ設備なども設置しCO_2削減を積極的に進め、「世界一環境に優しい空港」を目指したい。

　さらに、貨物取扱高289万TEU（22年）を誇る神戸港は、わが国トップクラスの港湾と言えるが、国とも連携し、カーボンニュートラル港を実現していく。コンテナターミナルの動力を燃料電池に転換することができる

門型クレーン2基を導入したほか、船舶の停泊時の陸電供給などもさらに積極的に進めていきたいと考えている。

> **港湾における脱炭素化の取り組み〜**
> **カーボンニュートラルポート（CNP）**
> **の形成〜**

国土交通省港湾局長
堀田　治

　今回は、港湾という視点でカーボンニュートラルにどう取り組むかを説明したい。なぜ、港湾の脱炭素化の取り組みが重要かというと、港湾にはCO_2の発生源が集積しており、活用できるインフラが豊富にある。つまり、わが国の脱炭素化に必要な機能を兼ね備え、水素などの新たなエネルギーの供給の要になると言える。逆に言えば、水素エネルギーの導入に当たっては、工業集積港を水素利用拡大の中枢にすべきだとも言えよう。なぜなら、既存インフラが使えるなど、水素の国際輸送ルート、言い換えればサプライチェーンの構築を最も効率的に行えるからだ。

　こうした中で国土交通省は、港湾行政においては気候変動対策の緩和策として、カーボンニュートラルポート（CNP）の形成、洋上風力発電の導入促進、ブルーカーボン生態系の活用などを進めている。

　CNPを進めるにあたり、化石燃料を代替する燃料が何かというのは非常に重要な視点だが、現段階では、水素、アンモニア、合成燃料はどれでも選択肢になり得るのではないだろうか。また、既存の施設をレトロフィットするなど、既存ストックをベースに最先端の機能を付加して行くことで、現実的な投資による脱炭素化を実現することも重要だ。

　国は、2022年港湾法を改正し、CNPを形成するための法的な枠組みをつくった。改正の狙いは、港湾の脱炭素化を促進するために脱炭素の動きを〝見える化〟し、ステークホルダーがマッチングしやすい環境を整備することにある。港湾管理者が港湾脱炭素化推進計画をつくれば、税制上の

特例や構築物の用途規制の柔軟化などの措置が受けられるようにした。23年5月末時点で、神戸港をはじめ65の港湾で協議会などが開催されている。また、サプライチェーン全体の脱炭素化がテーマになっているので、ターミナルの脱炭素化の程度や効果を客観的に示していくことが極めて重要になってくる。そこで、新たに認証制度をつくる検討を行っており、23年は具体的に港を選んで、試行を行いたいと考えている。

　国際協力という観点では、22年5月に岸田総理とバイデン大統領が会談し、日米CNPの連携をさらに強化することで一致。ロサンゼルス港、神戸港、横浜港をCNPのパイロットケースとして特定し、具体的に推進していくことになった。23年3月には国土交通省とカリフォルニア州政府が、港湾の脱炭素化とグリーン回廊の発展に向けての覚え書きを締結した。さらに日米豪印首脳会合（QUAD）の枠組みにおいても、港湾や海運の脱炭素化を積極的に進めていくことになった。

　もう一つ、わが国港湾行政の脱炭素化の柱として、洋上風力発電の導入促進が挙げられる。最初は港湾区域内水域の利用に向けた制度作りから始まって、再エネ海域利用法を制定し、現在は一般海域まで進出している。今後は、排他的経済水域（EEZ）への展開が論点になると予想される。現在は、徐々に事業化が図られており、23年1月に能代港と秋田港で洋上風力発電の国内第一号となる事業が運転を開始した。北九州港などでも港湾区域内における洋上風力発電事業が進んでいるが、これが一般海域にどんどん増えていくはずだ。一般海域については、年間計約1ギガワットの案件が形成される状況にあり、さらにこの動きは加速すると見られている。

　最後に、ブルーカーボン生態系の活用についても触れておきたい。ブルーカーボン生態系と呼ばれる海草や海藻などが吸収するCO_2に着目し、水質浄化や地球温暖化対策などに貢献していく取り組みが、最近非常に注目されている。国としても、全国の港湾や周辺エリアでブルーカーボン生態系をどんどん広げていきたいと考え、「命を育むみなとのブルーインフラ拡大プロジェクト」を進めており、民間企業や市民の皆さんの参加を促進するための支援措置なども積極的に進めていきたい。

川崎重工業における水素事業の取り組み・将来展望

川崎重工業株式会社
取締役会長
金花　芳則

世界のエネルギーを取り巻く状況は、エネルギーの安全保障を軸とした安定供給と脱炭素化の両立に取り組んでいくことが求められている。中でも、水素はエネルギー問題と脱炭素化の両方に資する二次エネルギーとして、近年大きくクローズアップされている。

当社は、種子島のＨ２ロケット燃料用液化水素貯蔵タンク建造以来、水素に関する機器やプラントを1970年代より提供し、「つくる」、「はこぶ・ためる」、「つかう」という一気通貫でのサプライチェーン構築をパイロット実証として日豪両政府や神戸市の支援のもと、世界に先駆けて完遂させた。この実績をもとに、日本の水素国際サプライチェーン構築に向けてもぜひ貢献したいと考えている。

では、当社における一気通貫のサプライチェーンのコンセプトを説明しよう。「つくる」については、豪州産の褐炭（かったん）に着目した。日本の総発電量の240年分に相当する未利用褐炭が埋蔵されており、コストと量の二つの観点から安定的に調達できる褐炭を水素製造元に活用することにした。

「はこぶ」は、液化水素による輸送を選択した。水素はマイナス253度で、大気圧状態で気体体積の約800分の１の無毒無臭な液体にすることができる。それを当社が建造した液化水素運搬船による高効率な大量運搬に世界で初めて成功した。「ためる」については、高性能断熱技術を採用することにより、LNGと同等な長期貯蔵性能を実現している。

「つかう」についても、神戸市で、水素100％専焼により作り出した電気、熱を近隣施設へ同時に供給できることを世界で初めて実証した。本実証では、ガスタービン本体は天然ガス用のまま、燃焼器のみの交換で、独

自の燃焼方式で水素と天然ガスを任意の割合で混焼でき、さらに水素100％専焼も実現できる。本体はそのままのため投資コストも抑制でき、CO_2排出量の削減が可能だ。

　水素社会の実現に向けた最大の課題は、やはりコストだろう。そのため、次なるステップとして、国のグリーンイノベーション基金を活用し、商用一歩手前の実証事業に着手している。商用規模として、例えば船では、タンク容量がパイロット実証時の128倍の大きさの船を建造していく予定であり、機器の大型化に成功すれば、規模の経済によって大幅なコスト減が可能だと見ている。

　最後に、世界の動きにも触れておく。特に、2017年にスイス・ダボスで発足したHydrogen Councilの動きを紹介したい。同組織は、水素に関する世界的なリーディングカンパニーのCEOが結集して、水素技術の重要な役割について長期ビジョンを示すグローバルなアドバイザリー機構だ。当社は発足時から参画しており、その当時は13社だったが、現在、約150社まで増加した。私自身、22年から同組織の共同議長を務めているが、各国の政府や主要なステークホルダーとともに、世界における水素の社会実装に向けた議論を着実に前進させていく重責を担っている。

　世界のエネルギー転換には、30年までに約7000億ドルの水素への投資が必要と言われている。当社は神戸で培った技術と知見をもとに、ドイツの大手電力会社RWEとともに、水素燃料100％の発電実証に向けた協議をスタートし、25年に運転開始することを計画中だ。ベルギーでも水素混焼の改造工事を受注するなど、世界各地から数十件の水素発電の引き合いが到来している。大規模需要が期待される水素発電をはじめ、モビリティ分野や航空機分野における脱炭素も積極的に進め、50年の化石燃料に対して競争力を有する水素コストと導入量の実現に貢献していきたい。

サプライチェーン構築に向けたJH2Aの取り組み

　私からは、「水素バリューチェーン推進協議会」、英語名称「Japan Hydrogen Association」（JH2A）の取り組みについて説明したい。JH2Aは、

水素サプライチェーン全体をふかんして、業界横断的かつオープンな組織として、社会実装プロジェクトの実現を通じ、早期に水素社会を構築するという目的で2020年12月に設立された。設立当初は88社で発足したが、22年4月に一般社団法人化して、現在、会員数は379社・団体で構成されている。

　JH2Aは、①水素社会を構築するために、まずは水素の需要創出をしていく②水素のコストを下げていくために、業界全体として製造、輸送、貯蔵のコストを技術革新によって削減していく③事業者に対する資金供給ということで、金融面での資金供給についても検討していく——ことにしている。

一般社団法人 水素バリューチェーン推進協議会（JH2A）
事務局長

福島　洋

　このため、JH2Aでは、渉外委員会、事業化委員会など五つの委員会を設置。渉外委員会は、政官の協力支援の獲得を目的に、中央省庁や国の出先機関、政党、地方自治体や国内外の関係団体などとの連携強化を行っている。海外との連携も積極的に展開しており、「Hydrogen Council」をはじめ、スペイン水素協議会、韓国水素協議会、ノルウェー水素協会、カナダ水素・燃料電池協会などとも連携している。事業化委員会は、技術ロードマップの策定やビジネスマッチングなどを行い、分散型発電サブワーキンググループやFSRU（Floating Storage and Regasification Unit）などにおいて、仮に実施するとしたらどういう技術基準を作る必要があるか、関係省庁とどのような適用法令を作る必要があるかなども検討している。

　わが国の水素戦略においては、「水素基本戦略」の改定により、供給量は40年に1200万トンという目標が新たに加わった。また、普及に向けた支援と体制において「値差支援、拠点整備支援の制度設計中」と記載されたことが注目されよう。水素は天然ガスなどの値段に比べると、単位エネルギー当たりのコストが高いので、当面の間は値段が高い分の値差を国が支

援をするということだ。拠点整備については、大規模拠点を日本に３カ所、中規模拠点が５カ所と記載され、集中してその拠点を整備していくということが記載されている。

　今後、日本でこうした拠点が選ばれ、整備されていくわけだが、どこに輸入基地をつくって、輸入基地からどうやって運ぶのか、あるいはどのぐらいのコストがかかるかなどについても、JH2Aではシミュレーションツールなどを活用してさまざまな提案も行っていきたい。

　「水素基本戦略」には、海外諸国の水素戦略についても記載されている。世界で最初に水素基本戦略を策定したのは日本だが（17年）、19～20年にかけてEU、アメリカ、オーストラリアなどが次々に水素戦略を策定した。中には再エネ水素製造能力や再エネ水素生産量など、コストについては日本に比べて非常に野心的な数字が記載されている。アメリカではインフレ抑制法案という面もあり、拠点整備に加えて、恐らく日本の値差支援を上回るようなインセンティブの設計もされてくるだろう。世界各国が水素をカーボンニュートラル実現のエネルギー源と位置付けているものの、当面、水素産業は確立できないので、支援を手厚くしていくという方向性になっているのが特徴と言える。

　最後に水素については、どうしていいのか、何からアプローチしていいのかがよく分からないという人も多くいるのが現状ではないだろうか。水素は自分一人でビジネスが立ち上がるような面ばかりではない。JH2Aでは、水素を使いたいという人たちに対する提案方法や、さまざまな連携、あるいは法律上の整理など、数多くの支援ができると思うのでぜひ相談してほしい。

水素社会実現に向けた政策課題

　先般、政府から出された「水素基本計画」を見ると、化石燃料依存からの脱却やカーボンニュートラルに向けた国際社会の潮流から水素社会は実現されなければならないだろう。水素は、非産油国であっても水電解装置などにより製造できるという利点があり、アンモニアや合成メタン、合成

燃料など、カーボンニュートラル製品のさまざまな燃料や原料としても使われる特性から絶対に推進すべきだと思う。

　一方、水素社会の実現のためには、さまざまな課題も指摘できる。まずは、水素のコストを下げなければならないし、安全性の確保も求められる。さらに産学官協働して革新的な技術の確立、知財獲得も目指した研究開発もしていかなければならないし、需要の創出やサプライチェーンの構築も必要だ。地方自治体による主体的な取り組みも後押しする必要があり、そのためには、地域住民や政府、国会議員、メディアからの理解も得なければならないだろう。

TMI 総合法律事務所
弁護士
境田　正樹

　重要なことは、技術競争に負けると巨額の国富が流出する点だ。この30年間のわが国の産業界の実情を見ると、最初は日本の企業が世界の多くのシェアを握り、トップの技術を持っていたにも関わらず、今、ほぼゼロというものは枚挙にいとまもない。半導体しかり、携帯電話、太陽光パネル、リチウムイオン電池などでも、近年、急速にシェアを落としている。なぜ日本は負けたのか──。

　米国を見ると、2022年、半導体支援法、CHIPS Act ができた。これは、半導体関連投資など補助基金390億ドル、Ｒ＆Ｄ基金110億ドルという巨額の金額で、半導体を囲い込むという政策だ。ある意味、強力な意思表示が米国政府にはあるし、さらに米国のインフレ抑制法は、再生可能エネルギーによる発電の支援に650億ドル、クリーン水素への製造支援税額控除130億ドルと、巨額の金額を投じて技術やエネルギーを囲い込もうとしている。

　他方、米国防総省、研究開発予算は約700億ドルだが、うち、各軍、陸海空に所属しない分野横断的な科学技術予算の４分の１にあたる28億ドル

が DARPA の予算だ。この DARPA モデルは、極めてハイリスクだがインパクトの大きい研究開発に資金を支援する内容で、優秀なプログラムマネージャーを産学官から招聘する。これがインターネットや GPS などの技術に直結している。軍でのそうした技術を産業界に応用して、その分野のシェアを取る。逆に、民の技術を、軍や安全保障、防衛に応用するなどシームレスで、国家戦略を立てているわけだ。

中国は、軍民融合がベースで、全ての民の技術を軍事、安全保障にも使おうとするし、安全保障の技術を民に使って、産業の世界のシェアを取りに行くという政策で進めている。輸出管理においても、米国同様に域外適用を可能とする法制度を、今、整備している。

日本においても、上記の危機意識をもとに、さまざまな法律や政策が作られている。昨年、国家安全保障戦略が策定され、経済安全保障推進法が制定された。しかし、エビデンスベースドの政策立案は、まだまだ足りない。また、国も企業もどの技術を守り、育てていくのかの選択に注力していく必要がある。革新的な技術があれば、官の側では防衛や安全保障にも使うし、民の側でも産業育成や経済発展のためにも使う。また、外交面でもそういった技術情報を踏まえて、外交をしていくことが望まれるが、この面において日本は、全く弱い。安倍総理のときに国家安全保障局ができたが、日本企業は経済紛争に巻き込まれたときに、海外に対して国のサポートがないというケースがままある。こういった面から改めていく必要があるのではないか。

水素をめぐる法規制

私からは、水素をめぐる法規制と題して、二つのトピックについてお話ししたい。まず一つ目のトピックが、水素事業の法規制の現状と今後の展望だ。水素事業の法規制には、特化した業規制、例えば水素事業法や保安の法体系がない。従って、水素事業においては、個別事案に応じて、適用法令の洗い出しと検討が必要となる。この点については非常に時間と労力がかかるため、水素に特化した法律をつくるべきではないかという議論が

あり、先般から保安を対象に経済産業省に設置された水素保安戦略の策定に関する検討会でも議論がなされている。

TMI 総合法律事務所
弁護士
野口　香織

水素事業を開始しようとした場合に、まず検討するのは、高圧ガス保安法、ガス事業法、電気事業法の三つだ。適用次第で、窓口が経済産業省なのか都道府県なのかが変わってくる。

現在、保安を対象に規制の穴がないかどうか、例えば、低圧の取り扱いや、規制がリスクに見合っているかどうか、例えば、高圧・低圧の別、規制の適用関係は明確かどうかが検討課題とされている。規制の合理化・適正化の問題については、このほど国が策定した「水素基本戦略」では、「水素保安戦略」（中間とりまとめ）に基づき、「技術開発・実証段階と、商用段階の二つの段階に分けて対応する」と記載されている。具体的には、「技術開発・実証段階では、既存法令を活用した迅速な対応を実現する。商用化段階では、新たな技術基準の策定などの恒久的な措置を講じる」と記載されている。技術基準は、「法令間で共通化を図り、適用法令が異なっても求められる安全水準を共通化することで、シームレスな保安環境を構築する」とされ、水素保安戦略の工程表では、タイムラインと国のタスクが示されている。

将来的な保安体系の確立は、2030年以降とされている。従って、現時点では、水素に特化した業規制などは、30年までは立法化には至らないということが予想される。

既存のエネルギーの電気、都市ガスは、規模の経済が働くように地域独占から始まり、自由化に至ったという経緯がある。水素は、巨額の国費を投じて一部の事業者を支援することになるので、独占状態が生じる可能性はあるし、インフラの開放という議論は必ず出てくるだろう。この議論

は、今後の水素事業の実態次第であり、非常に難しい問題なので長期で考えていく必要がある。ただし諸外国では、立法が進む可能性があるため、国際的動向を注視しつつ、今から議論を始めておく必要はあるだろう。

　二つ目のトピックは、既存燃料との値差支援における法的留意点だ。水素の大規模なサプライチェーンを構築するためには、多額の初期投資と運営費が必要となる。もっとも水素の価格が既存燃料に比して当面高額となることが予想されるため、水素を大規模かつ安定的に購入するオフテイカーが登場しないことが懸念される。

　そこで、政府が水素の供給者に対して、その合理的コストと適正収益の合計額を「基準価格」として、基準価格と既存燃料の参照価格との差額を填補しようとする制度が、既存燃料との値差支援だ。政府による値差支援は、供給者と需要者間の契約内容は直接関係しないとされているが、実際には、供給者と需要家との水素売買契約にあたって、その内容をめぐってさまざまな論点が生じることが予想される。

　今後、水素の売買契約については、より需要や価格という面において不確定要素がある中、検討していくことになる。契約交渉は非常に難しくなる。また、期中の紛争・訴訟リスクも無視できない。これまでのエネルギー契約実務に捉われず、より踏み込んだ検討を行っていく必要がある。

水素社会の実現に向けて 大林組の取り組み

　当社は、1892年に設立。主な事業分野は、国内建設、海外建設、不動産開発事業、グリーンエネルギー、新領域ビジネスなどで、現在は約1万5000人の従業員が16カ国で働いている。東京都清瀬市に技術研究所があり、同所でCO_2を吸収するコンクリートの開発などグリーン化に向けた技術研究を展開している。

　当社は、中長期環境ビジョン「Sustainability Vision 2050」を策定し、再生可能エネルギー事業の推進など、全社を挙げて2050年の脱炭素に向けて取り組んでいる。具体的には、50年のあるべき姿を定義し、そこからバックキャストして40年、30年といった、各段階での目標を設定して、目標

達成に向けて活動を推進している。

　国内部門において、再生可能エネルギー事業は、バイオマス発電を含め、国内33カ所、270メガワットの発電事業者としてグリーン電力を販売中だ。この中には太陽光が133メガワット、陸上風力は２カ所26メガワット、さらにバイオマス発電も２カ所あり、１カ所が国内未利用材を扱い、もう１カ所が輸入PKSペレットを燃やす発電施設で、トータル60メガワットある。洋上風力は、国内初の秋田港・能代港の洋上風力発電のシェアを保有しており、23年１月から運転を開始、シェア分で40メガワット相当の洋上風力発電所も運営中だ。

**株式会社大林組
常務執行役員
（グリーンエネルギー
本部長）
安藤　賢一**

　水素については、国内でいくつかの方法により水素を製造している。技術研究所では、太陽光で水素をつくり、水素燃料電池を用いて発電している。大分県九重町では地熱発電の電力を使って水素の製造を行っている。神戸市では、二つの事業に取り組んでいる。一つは、水素CGS活用スマートコミュニティの技術開発実証ということで、水素を用いて電気および熱を供給する事業を展開中だ。もう１カ所は、岩谷産業研究施設の新築工事で、現場事務所のZEB（ゼロエミッションビルディング）を達成している。具体的には、最初に木造で事務所を造り、上部に太陽光パネルを貼り太陽光発電を行う。さらに燃料電池設備を設置し、電気を供給する仕組みだ。太陽光の場合、余剰電力あるいは出力制御を受けた電力は捨ててしまうわけだが、夜間、需要の高い時間帯に電力を供給する方策として、水素燃料電池を使っている。この太陽光と水素発電の組み合わせによって省エネを行っている。水素を用いると、長期にわたって再エネ保存が可能だし、輸送についても非常にモビライズしやすいというメリットがある。

　海外事業では、ニュージーランドの北部、タウポで水素サプライチェー

ン構築事業を展開中だ。同国は南島ではダム、水力発電が主流で、北では地熱発電を主流として、トータルで85％の電気が再生可能エネルギーで構成されている。

　当社は、100メガワット級の地熱発電所の横に水素製造設備を設置し、21年から水素の製造を開始している。年間では、最大150トン程度までは製造できる見込みだ。先ほどから「ハブ」というキーワードが出ているが、当社でも、小さなハブとスポークという呼称をして、水素の製造設備を中心に半径50キロ程度までのイメージで、水素ビジネスを展開していきたい。

　将来はニュージーランドから日本への輸出も想定しているが、まずは、ニュージーランド国内でのハブアンドスポークでサプライチェーンを構築し、次にフィジーを対象に海上輸送の実証をしていく。これが軌道に乗れば、大規模に水素を製造して日本への輸出を図っていきたいと考えている。

日本の水素エネルギー政策

　2023年、国は「水素基本戦略」を6年ぶりに改定した。水素は、脱炭素電源、エネルギー源として非常に重要で、各国の注目も高いので、国が進める水素政策をお話したい。

　同戦略は、「水素産業戦略」と「水素保安戦略」で構成され、①水素導入目標を30年300万トン、50年2000万トンのところ、40年1200万トン程度とする②30年の国内外における日本関連企業の水電解装置の導入目標を15ギガワットとする③大規模かつ強靭なサプラ

経済産業大臣
西村　康稔

イチェーン構築、拠点形成に向けた支援制度の整備～官民合わせて15年間で15兆円のサプライチェーンの投資計画を検討中④「クリーン水素」の世界基準を日本がリードして策定し、クリーン水素への移行を明確化するこ

と──などが主な骨子になる。

　「水素産業戦略」は、わが国の水素コア技術が国内外の水素ビジネスで活用される社会の実現を目指したもので、技術で勝ってビジネスでも勝つため、こうした水素コア技術の早期の量産化を目指す。まずは供給、次に脱炭素型発電、それから燃料電池と、わが国が技術的に優位となる5類型、9分野（燃料電池、水電解、発電、輸送など）が活用される世界を目指す。

　水素の種類については、これまでのグリーンやブルー、グレー水素という呼称ではなく、クリーン水素という呼称を定着させたい。クリーン水素かどうかについては、単位あたりの水素を製造するのに発生するCO_2排出量を「炭素集約度」と呼び、判断される。

　何より水素が普及定着していくためには、コストが重要だ。政府は、水素価格目標として30年30円／N㎥、50年20円／N㎥を目指しているが、需要が増えないことには、価格は決して安くはならない。従ってマーケットを増やしていくためにも、政府は、水素・アンモニア大規模サプライチェーン構築に向けた支援制度を創設していく。水素・アンモニアの供給コストと需要家への販売価格の差に着目した支援制度としていくことで、供給事業者の投資予見性を高め、民間ベースでの大規模なサプライチェーン構築を目指す。炭素集約度による評価については、現状、水素1キロ当たり約10〜12キロのCO_2を排出するというところだが、30年度を目途に3・4キロ程度の集約度を達成する水素を支援していきたい。

　具体的なインフラ整備については、さまざまなパターンが想定される。例えば、大規模発電での利用や、多産業で集積しているコンビナートなどで対応していくことが挙げられる。山梨県や福島県浪江町でもプロジェクトがあるが、地域の再エネも挙げられよう。今後、大規模、大都市圏を中心に3カ所、中規模、地域を分散しながら5カ所あたりを考えている。

　運び方、貯蔵の仕方についても、マイナス253度にし、液化水素として運搬船で運ぶという川崎重工業の技術が確立されているが、ENEOS、千代田化工ではメチルシクロヘキサン、トルエンと化合して運ぶという方法

論も進めている。これには既存の施設が使えるというメリットがある。また、アンモニアにしてはどうかという考え方もある。これは、産総研が取り組んでいるが、マイナス33度なので、水素吸蔵合金で長期貯蔵が可能だ。重いので運ぶには無理があろうが、配送は可能だ。高圧ガス保安法の規制を受けないというメリットもある。

　一方、「水素保安戦略」は、水素の大規模利用に向け、安全の確保を前提とし、タイムリーかつ経済的に合理的・適正な環境整備を戦略的に進めることとして示したもの。水素については、ここまで世界をリードしているので、これからも世界に先んじて取り組んでいきたい。産業界の皆さんと連携しながら進めていきたいと考えているので、ぜひいろいろなご意見を寄せてほしい。

DX・GXの一体化によるエネルギートランジションシナリオ

　2023年6月、政府は、「水素基本戦略」を改定した。水素については、17年にわが国が世界に先んじて基本戦略を策定。世界で一番進んでいたにも関わらず、パリ協定の発効によって、18年ぐらいから一挙にEUが追い駆け出して、先に追い越された感さえある。従って、そうした状況をリカバーして、再度追い返すという趣旨が今回の戦略には盛り込まれている。

　私は、「水素・燃料電池戦略協議会」の座長として、民間企業の意見をとりまとめながら、なるべく日本が主導できるように、同戦略の中にいろいろな弾を詰め込んでいる。

　今回、改定された「水素基本戦略」の一番大きな要は、燃料電池だろう。もう一つ、電気分解する電解質（SOEC）が挙げられよう。30年に1.5ギガとしているので、SOECは世界を含めてわが国の大きな輸出アイテムになっていくと見ている。これからの日本の産官学の連携で達成していくことが、極めて重要になってくるはずだ。

　また、今回の基本戦略の大きな変化の一つは、基準価格を決めて買い取り制度を盛り込んだことだ。これにより、一挙に水素が伸びていく可能性がある。5年ごとに見直し、最低15年と言っているが、20年は行くかもし

れない。と言うのも、ちょうど、今の太陽光、風車などの再生可能エネルギー固定価格買い取りが32〜33年ごろからだんだん減ってくるからだ。

東京工業大学
名誉教授
柏木　孝夫

　エネルギーは、産業と生活の基盤なので、今度の基本計画では、水素産業戦略を全面的に出して、プラットフォーマーになることを志向している。特に日本は ASEAN を取り込む必要があり、トランジション（移行）シナリオをしっかりと押さえておく必要がある。ASEAN を取り込む上で、最も手強いのはシンガポールだろう。

　スイスの国際経営開発研究所が、DX（Digital Transformation）の先進国というテーマで、63カ国を対象にランキングしているが、デンマーク、アメリカ、スウェーデン、4番目にシンガポールを挙げている。ちなみに日本は29位で、これからのデジタル庁への期待と役割は非常に大きい。

　50年にカーボンニュートラルを実現していくためには、DX と GX（Green Transformation）を一体化させ、デジタルによってエネルギーの需要と供給をコントロールしていかなければならない。つまり、これからのエネルギーシステムは、カーボンニュートラルをベースに考える必要がある。

　GX のためのキーワードは、省エネ、電化（EV 化）、水素化の三つが挙げられる。省エネは、例えば冷蔵庫などの電化製品を見てもグリーン化が進んでいるが、この動きを加速化する。電化（EV）化は、わが国の CO_2 排出量17％に当たる自動車の電化を意味する。水素化は、ハブをこれからどんどん造っていく必要がある。ちなみに、神戸は素晴らしいハブになるポテンシャルを持っていると思う。

　最後に、保安についても触れておきたい。日本の場合は3年かかるとされているが、EU は約1年でできるとしている。もちろん早いにこしたこ

とはないが、保安というのは、安全第一なので、通常の技術競争とは性質が異なる。さらにわれわれは、「昔の技術で作られた保安と、新しい技術開発がなされた上での保安はやや次元が違う話で、こうした差をきちんと明確にした上で、保安体制をきちんとすべきだ」と説明している。ただ、こうした中でも、民間企業から「遅い」という意見は根強い。それほど企業のニーズは多いということだろう。

カーボンニュートラルの突破口 水素の推進について

わが国のエネルギー政策が大きく変わったのは、2020年10月に菅義偉総理（当時）が所信表明演説の中でカーボンニュートラルを実現し、CO_2排出量を50年にはゼロにしたいという考えを打ち出してからだろう。

水素には、グリーン、ブルー、グレーなどさまざまな種類があるが、今セミナーの講師を務めておられる柏木孝夫先生によると、イエローもピンクもあるそうだ。今回改定された「水素基本戦略」は、これらをクリーン水

衆議院議員
（自民党水素議員連盟
事務局長）
工藤　彰三

素と呼称しているが、コストをできるだけかけずに水素社会を日本中に広め、エネルギー、電力の基軸にしていくことが求められよう。

そもそもなぜ水素社会の実現が必要かというと、わが国には資源がないからだ。燃料やエネルギーがほとんどなく、人材、まじめな労働力で世界と戦ってきた。ところが、高齢化、少子化、そして働き方改革などの難題にさらされ、質の高い労働力は大きく揺らいでいる。

つまり、水素政策のポイントは、どうやって国のエネルギー制度を変えていくのかという命題が背景にあると理解していただけばよい。この命題を克服しないと、日本が再び「ジャパン・アズ・ナンバーワン」と言われ、輝く時代はもう来ないかもしれない。「日本は技術では、世界で一番」

とよく指摘されるが、認可や保安法、危険物取り扱い、規制緩和などで必ず日本は世界に置いていかれてしまう。気が付けば、２馬身、３馬身どころか、周回遅れになっているという状況も決して珍しくはない。

　電力なくして人間の生活はあり得ない。電力が途切れれば、人間は、暮らしができないのが現実だから、そのための水素、アンモニアをどのように調達し、どのようにコストを下げながら、日本中に電線網、電力網を促すかが今後の水素社会構築に向けての大切なところではないか。

　私は、自由民主党の水素社会推進議員連盟の事務局長を務めている。もともと同議連は、東京オリンピック・パラリンピック開催に向けて、水素バスを走らせて、選手村にも水素を使って活用しようということで、2013年に設立された。当初は５名程度の小規模の議連で、勉強会を実施しても国土交通省や経済産業省など役所の皆さんの方が多いくらいだった。当時から柏木教授には大変お世話になったが、最初は柏木先生のお話を聞いても意味がよく分からなかった。水素ハブを構築するための「つくる、運ぶ、使う」という原点が分かるまで、１年半ぐらいかかったような気がする。

　一方、水素に関して、いろいろな場所も視察させてもらった。牛ふんからメタンガスを出す北海道の鹿追町や洋上風力の酒田港や福島では、再エネを活用した世界最大規模の水素製造施設「FH2R」や「ハマウィング」も見学した。一番南は五島列島まで出かけて、椛島で風力発電も見た。たぶん、水素関連で視察した数は、衆参国会議員の中で誰にも負けない数だと自負している。

　水素社会をきちんと実現するためには、法律化し、法制化していくことが必要になる。そこで議連では岸田総理に対し、22年12月14日に提言書を提出した。次の臨時国会では議員立法でなく、閣法としてしっかりと取り組みたい。できるだけコンパクトにまとめて、誰が読んでも、書きぶりだけではなく読みぶりがわかりやすい法律をつくって法制化し、「何かあった場合は国が保証しますよ」という文言を添えて投資を促したいと考えている。

第4章
有識者に聞く

衆議院議員　井上信治

激化する国際競争の中で、国が前面に立って低炭素水素社会を実現していく

——今回「脱炭素成長型経済構造への円滑な移行のための低炭素水素等の供給及び利用の促進に関する法律案」（水素社会推進法案）が、第213回通常国会に提出されました。

井上　2050年カーボンニュートラルに向けて、今後、脱炭素化が難しい分野においても GX を推進し、エネルギー安定供給・脱炭素・経済成長を同時に実現していくことが課題とされています。こうした分野における GX を進めるためのカギとなるエネルギー・原材料として、安全性を確保しながら、低炭素水素などの活用を促進することが不可欠です。

このため、国が前面に立って、「低炭素水素等」の供給・利用を早期に促進するために、基本方針の策定、需給両面の計画認定制度の創設、計画認定を受けた事業者に対する支援措置や規制の特例

岸田文雄総理に提言書を渡す「自民党水素社会推進議員連盟」会長の小渕優子衆議院議員。岸田総理の右隣が井上信治衆議院議員。
（出典：首相官邸HP）

措置などを講じるとともに、「低炭素水素等」の供給拡大に向けて「水素等」を供給する事業者が取り組むべき判断基準の策定などの措置を講じる内容となっています。

　同法案は、われわれ水素社会推進議員連盟が22年12月に岸田文雄内閣総理大臣への提言がベースになっています。つまり、国とわれわれが一緒になってつくり上げたものだと言えるので、大変感慨深いですね。

――法案成立、施行のタイミングをどのように見ておられますか。

井上　まずはしっかり成立させることが重要で、この法律に基づいて政策を前に進めたいと思っています。スケジュールとしては、法律を春頃には成立させた上で、施行についても早ければ早いほうがよいと考えています。特に水素に関しては、国際的な競争が激しく、世界のスピードが相当早い動きを見せていますので、できるだけ早くというのが率直な思いです。

水素社会実現に向けて加速する海外勢の動き

――このところ、欧州やオーストラリアあたりから「安いコストの水素の売り込みにきている」との話を民間サイドで聞く機会が多くなっています。本書の監修の柏木孝夫東京工業大学名誉教授によると、海外勢は、

衆議院議員
（自由民主党水素社会推進議員連盟幹事長）

井上　信治 （いのうえ　しんじ）

1969年生まれ、東京都出身。東京大学法学部卒業後、94年建設省に入省。建設省在職中、英国・ケンブリッジ大学に留学し、修士課程修了。03年国土交通省住宅局建築指導課課長補佐を最後に同省退官。同年11月第43回衆議院議員選挙で初当選、現在7期目。12年環境副大臣兼内閣府副大臣、19年自民党副幹事長、20年内閣府特命大臣（消費者および食品安全、クールジャパン戦略、知的財産戦略、科学技術政策、宇宙政策）兼国際博覧会担当大臣、22年自由民主党幹事長代理。18年より自民党水素社会推進議員連盟幹事長を務める。

**「例え技術は日本に負けてもビジネスで勝つ」という姿勢に徹していると
のことです。**

井上　私は、自民党内では環境・温暖化対策調査会長という、温暖化対策
の責任者でもあります。温暖化対策の中でも、水素は大きな役割を担うべ
き切り札だと考え、海外勢の動きには注目しています。

　グローバルレベルで、わが国の水素の値段を見ると、まだまだ高いです
し、今後、需要が増えていくと、さらに安定供給を確保しなければなりま
せんから、コストの問題は常に押さえておく必要があります。イノベー
ションと大量供給の中で、わが国が水素のコストをどこまで下げていくこ
とができるか、さらに、量の確保という面から海外の安い水素をどの程度
輸入していくといった命題についても、経済安全保障をいう観点も踏まえ
つつ、きちんと目標を立ててやっていかねばならないでしょう。その上
で、国際ルールなどの整備においても、きちんと日本がコミットできるよ
うにしていかねばならないと考えています。

**——こうした中で、ぜひ井上議員にはぜひ、海外勢の状況を教えていただ
きたいと思います。既に多くの皆さんが指摘されていますが、わが国は
2017年に世界で初めての「水素基本戦略」を策定しました。その後、EU、
ドイツ、オランダ、など25カ国以上が水素に関する国家戦略を策定し、そ
の働きは加速化しています。**

井上　まず、その前に日本の水素戦略をきちんと見ておきましょう。わが
国は、23年、6年ぶりに「水素基本戦略」を改定し、技術の確立を主とし
たものから、商用段階を見据え、産業戦略と保安戦略を新たに位置付けま
した。今回の「水素社会推進法案」にも値差支援を入れて、きちんと政府
も支援していこうという姿勢を打ち出しました。

—— EUの動きについては、どのように見ておられますか。

井上　22年5月にEUは、ロシア産化石燃料依存からの脱却、および再生
可能エネルギーの導入を加速させる「REPower EU」において、30年まで
にEU域内の再生可能エネルギー由来の製造分と輸入分を併せて2000万ト
ンの水素供給を目標として掲げています。供給・需要とともに市場が未成

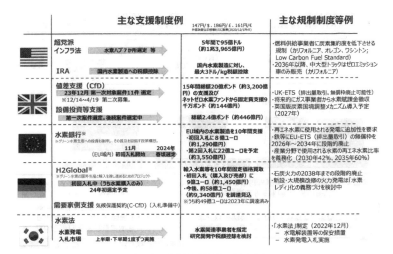

各国の支援と規制・制度例

（出典：経済産業省）

　熟な水素の民間取り引きを後押しする欧州水素銀行（European Hydorogen Bank）も設立。少なくとも30億ユーロ（約5580億円）の資金規模を持って、水素業界支援を行うとしています。

　直近の EU 支援策は、EU 域内の水素製造を10年間にわたって支援。初回入札に 8 億ユーロ（約1290億円）、第 2 回入札に22億ユーロ（約3550億円）の支援が予定されています。一方、規制は再エネ水素に使用される発電に追加性を要求。鉄などに適用されている EU－ETS（排出量取引）の無償枠を2026年〜34年にかけて段階的に廃止する一方、産業分野で使用される水素の再エネ比率を30年には42%、35年には60%に引き上げるとしています。

──やはり、EU の動きを見ると、ロシアによるウクライナ侵攻の影響をより深刻に受け止めていると実感せざるを得ませんね。ドイツの動きいかがでしょうか。

井上　ドイツは、国として、輸入水素などを24年から10年間にわたって固定価格で買い取る支援策を打ち出しています。初回は水素購入のみの入札で、 9 億ユーロ（約1450億円）の規模になります。今後、約58億ユーロ

（約9350億円）が調達される見込みです。一方、規制に関しては、38年までに石炭火力を段階的に廃止し、新設・大規模改修の火力発電は、水素がいつ供給されても対応可能な「水素レディ」化の義務付けを検討しています。

──では、20年にEUを離脱したイギリスはいかがでしょうか。

井上　イギリスは、値差支援と設備投資支援を柱にした支援策を実施しています。その規模は15年間で、20億ポンド（約3200億円）の支援およびネットゼロ水素ファンドから固定費として、9000万ポンド（約144億円）、総額2.4億ポンド（約446億円）になります。

──アメリカの状況についても教えてください。

井上　アメリカは超党派インフラ法をつくり、バイデン政権の下、2023年10月に、水素ハブ7拠点（①中部大西洋岸②アパラチア地域③カリフォルニア④メキシコ湾岸⑤ハートランド⑥中西部⑦パシフィック・ノースウエスト）を選定しました。これら7拠点の水素ハブは、総額70億ドル（約1兆290億円）の資金提供を受けるとされ、このほかの水素支援策を合わせると、総計95億ドル（約1兆3965億円）の支援策を計上しています。また、国内水素製造に対し、最大3ドル／キログラムの税額控除も受けられます。一方、規制に関しては、燃料供給事業者に炭素集約度を低下させる規制（カリフォルニア・オレゴン・ワシントン各州）が打ち出されています。中でもカリフォルニア州では、中大型トラックはゼロエミッション車のみ販売されていくとしています。

──こうして見ると、欧米の動きが早いというのがよく分かりますね。各国とも、本気で水素社会を実装していこうとしている印象です。

井上　アジアに目を向けても韓国では、世界初の「水素経済の育成および水素安全管理に関する法律（水素法）」が21年に制定され、水素発電入札市場を上半期・下半期に1度ずつ実施されることが定められました。22年5月には、クリーン水素、アンモニア利用の実質義務化が国会を通過し、水電解装置などの保安措置や水素発電入札が実施されることになりました。

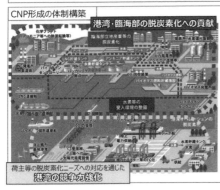

カーボンニュートラルポート（CNP）の形成の意義
（出典：国土交通省）

水素社会実現に向けて、わが国インフラ整備は急務

――海外勢の動きを見ると、水素社会の実現が、目前にも迫る状況のように映りますが、こうなると水素をめぐるわが国のインフラも急ぎ整備していく必要もあるのではありませんか。地方自治体では、こうした動きに期待を寄せる声もあります。

井上　水素社会推進議連としましても、水素社会実現に向けてのインフラ整備は、非常に重要だと位置付けています。例えば、カーボンニュートラルポート（CNP）については、各地域の港湾の拠点整備をしていくということに対して、国も補助を入れて支援していくことを今回の「水素社会推進法案」に盛り込みました。

　要は、エネルギー政策と産業政策をミックスさせていくという話なんですよね。とりわけ、海外から水素を輸入する場合は、やはり港が起点になりますから、港周辺に水素を利用する産業を集積させていく必要があります。従って、例えばタンクとか、パイプラインなど港湾のインフラ整備を国が責任を持って整えていくという姿勢を同法案には入れてあります。

街中を走行する燃料電池バス
（出典：東京都中央区）

――もともと「水素社会推進議員連盟」は、FCV（Fuel Cell Vehicle/ 燃料電池自働車）推進からスタートさせたと聞いていますが、FCV 促進についてはどのようにお考えですか。

井上　やはり、ポイントは、ステーションをいかに充実させていけるかでしょう。もちろん、FCV そのものに対する補助もそうですし、ステーション促進に対する補助を出していく。あるいは、保安規制などの改革なども、例えば、消防法などを対象にしていくなどまだまだ変えていく必要があると考えています。

　さらに、国として考えていく必要があると思うのは、バス、トラックや鉄道など、大量輸送における水素利活用ですね。私も何度か試乗しましたけど、圧倒的に静粛ですね。現在、物流の2024年問題なども顕在化していますので、ドライバーの負荷の軽減という視点からも大いに問題意識を持っています。

――本書では、50年に、カーボンニュートラルを実現していくためには、国民一人一人の生活様式、考え方から改めてみるというアプローチもしています。こうしたアプローチに対し、井上議員のお考えをお聞かせください。

井上　50年に、カーボンニュートラルを実現していくためには、やはり皆さん一人一人の暮らしから変革していかねばなりません。民生部門のCO_2排出量は、30年46％削減の目標達成に向けて、家庭部門で66％、業務その他部門で50％と、他部門よりも、より一層の対策が求められています。従って、こうしたアプローチは非常に有効だと思いますし、逆にこうしたところにビジネスチャンスが生まれるような仕組みづくりも必要だと

思っています。例えば、水素をエネルギー源として使うということになると、やはり個人の暮らしから水素社会を実装してみる視点が求められるでしょう。そうしたニーズに対し、どうやって水素を届けていくか、いろいろなパターンの中で必要なインフラを整えていく必要があると考えています。

──ありがとうございました。

一般財団法人　カーボンフロンティア機構

カーボンニュートラル実現の有効エネルギー源として、石炭の価値を追求していく

——現在の石炭を巡る国際情勢について教えてください。

塚本　IEA（国際エネルギー機関）2023年7月版の石炭市場に関するレポートによると、2022年の世界の石炭消費量は、前年比3.3％増の83億トンで、新記録を更新したと報告されています。この増加には、好調なインドを含むアジア諸国全般において経済が好調で、エネルギー需要が進んだことや、ロシアのウクライナ侵攻にともなう天然ガスの高騰により、石炭への転換が行われたことが要因とされています。各国の旺盛な石炭需要は、しばらくは続くという見方が大勢です。

——国際的に石炭に対する需要は相当大きいのですね。では、直近の日本の石炭需要は、どれくらいになるのでしょうか。

塚本　わが国の2021年の石炭輸入量は、一般炭・原料炭併せて約1億6千万トンというところでほぼ安定しています。つまり、現在でも一次エネルギーの4分の1ぐらいのシェアを占めています。

——石炭の特長について教えてください。

塚本　何と言っても、石炭は価格が安いということが挙げられます。しかも石炭は世界中に広く分布していますので、石油のように中東依存度は、ほとんどなくて調達もしやすい。わが国には、資源がほとんどありませんので、資源戦略上、石炭が果たしてきた役割は非常に大きいと言えるでしょう。

——なるほど。

塚本　歴史的に見ても、わが国のエネルギー政策は、エネルギーミックス

を基本としていました。これは、1970年代に起きたオイルショックの教訓で、一つのエネルギーに依存しすぎるのは資源戦略上、よろしくないということです。1960年代に、コストの安い石油が入ってきたときには、「燃料革命」と呼ばれ、石炭から石油への変換が一気に進んだわけですが、やはりエネルギーミックスはこれからもわが国の資源戦略上、堅持すべき考え方だと思います。

——2050年カーボンニュートラルを実現していく上で、**貴機構は石炭からのカーボンニュートラルを目指しておられると伺いました。**

塚本　まず大前提として、2050年にカーボンニュートラルを実現していくためには、日本だけがカーボンニュートラルを目指すというのではなく、世界全体で進めていかねば意味がありません。すると、現実に世界でこれだけ使用されている石炭の動向を無視して、二律背反的に再生可能エネルギーに変換していくという発想は無理があるのではないかと考えているわけです。むしろカーボンニュートラル実現までのトランジション（移行期間）における有効エネルギー源として、石炭を活用していくという発想の方が現実的ではないかと思います。

**一般財団法人
カーボンフロンティア機構理事長**

塚本　修（つかもと　おさむ）

1953年生まれ、熊本県出身。77年九州大学工学部卒業後、通産省に入り、2003年経済産業省大臣官房審議官（地域経済産業グループ・資源エネルギー庁担当）、04年製造産業局次長、06年官房技術総括審議官、08年関東経済産業局長、09年経済産業政策地域経済産業グループ地域経済産業審議官、10年東京理科大学特命教授、11年熊本大学客員教授、14年一般財団法人石炭エネルギーセンター理事長、東京理科大学特任教授、21年一般財団法人石炭フロンティア機構理事長、23年4月より現職。

注目される石炭ガス化複合発電技術と CCS

——先ほど、カーボンニュートラル実現までのトランジションとしての有効エネルギーとして石炭を活用していくと説明されましたが、詳しく教えてください。

塚本　例えば、再生可能エネルギーのうち、太陽光の場合、夜間は発電できません。また、風力は、当然ながら風が吹かないと発電できないわけです。つまり、日照条件や気候に非常に影響されるわけですね。エネルギーミックスの観点からすると、再生可能エネルギーを補完する必要がでてきます。

——その補完的役割を石炭が担う、と。

塚本　そうです。石炭火力発電こそ、再生可能エネルギーの補完的な役割が果たせるはずです。時々、「電池で蓄電しておけばいいじゃないか」というご指摘を受けることがあります。これは、技術的には可能かもしれませんが、ものすごく高いコストがかかってしまうのが実情です。従って、系統の安定性やコストなどを考慮すると、火力発電が補完的な役割として、現実的な選択肢に入ってくると思います。

——ただ石炭は、石油や天然ガスに比べても相対的に CO_2 排出量が多いという指摘もありますが…。

塚本　その通りです。ですから、われわれは、石炭を最もイノベーティブな技術で、低排出型の究極的には脱炭素型の火力発電にしていきたいという問題意識を持っています。

——そのようなことが可能なのでしょうか。

塚本　現時点でお示しできる方法論が二つあります。一つは、石炭ガス化燃料電池複合発電技術など石炭をガス化して非常に高効率な発電技術を磨き上げることで、既に実証事業をクリアし、商業化が進められています。もう一つは、CCS（Carbon dioxide Capture and Storage ／CO_2 の地中貯留）事業を早期に育成していくことですが、第213回通常国会に CCS 事業法案が提出されています。CCS は、石炭火力発電から大気中の CO_2 が放

出されるのを防ぐ効果があると言われています。

「大崎クールジェン」プロジェクトで実証された石炭ガス化複合発電技術

――先ほど塚本理事長がお示しいただいた方法論について、具体的に説明していただきたいと思います。

塚本　われわれは、国とともに非常に高効率な石炭火力発電所、発電技術の開発を進めてきました。その代表的事例とも言えるのが、広島県の大崎上島町で、電源開発株式会社と中国電力株式会社が共同出資した「大崎クールジェン」プロジェクトです。同プロジェクトは、石炭ガス化燃料電

池複合発電技術を確立するため、2012年～22年に3段階にわたって実証事業が行われました。従来の石炭火力発電は、石炭をボイラーで燃やした熱で水を蒸気にしてタービンを回すのですが、「大崎クールジェン」プロジェクトでは、ガス化炉で石炭を蒸し焼きにしてガス化して、できたガスでタービンを回すIGCCという新技術で発電する仕組みです。さらにガス化の条件によって、水素も出てきますので、IGCCプラス燃料電池発電と、トリプルサイクルになっているわけですね。

　石炭ガス化複合発電技術は、アメリカやドイツなども開発したのですが、商業ベースでは日本だけが成功しました。つまり、日本は非常に高効率の石炭ガス化発電技術を確立し

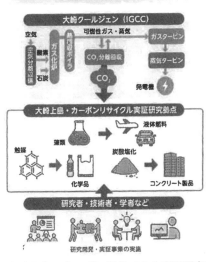

大崎上島のカーボンリサイクル実証研究
（出典：カーボンフロンティア機構）

たと言え、現在は、福島県でこの技術を使った商業炉が2基動き出しています。

——「大崎クールジェン」プロジェクトで、**貴機構はどのような役割を担われたのでしょうか。**

塚本　新エネルギー産業開発機構（NEDO）が整備した「カーボンリサイクル実証研究拠点」（大崎上島町）の建設、運営、成果の普及の仕事のお手伝いをしています。同研究拠点では、「大崎クールジェン」で分離回収されたCO_2をパイプラインで輸送し、そのCO_2を利用した要素技術開発や実証研究などを行っているわけです。この研究には、地元の広島大学をはじめ、大阪大学、東北大学、慶応義塾大学、早稲田大学など複数の大学や川崎重工業、鹿島建設、中国電力、関西電力などさまざまな民間企業に参画してもらっています。われわれは、大崎上島町と地域振興などに関するMOU（覚書）を結び、自治体との連携強化に努めています。このほか、川崎市や山口県周南市、大分市などとも連携し、石油化学コンビナートにおけるカーボンニュートラルに向けた技術や知見なども提供しています。

わが国でも本格的な CCS 時代到来か。ポイントは、やはりコスト

——一方、**CCS とは、地下約1000〜3000メートルのある貯留層まで井戸を掘り、地中の圧力と温度を活用して、CO_2の退席約300分の1まで圧縮して貯留する技術ですね。ふたの役割になる遮蔽（しゃへい）層が、上部にあることが前提となります。**

塚本　CCS は、新潟県長岡市（2003〜2005年・1万トン）、北海道苫小牧市（2016〜2019年・30万トン）の貯留実証実験の実績があり、現在まで安定的に貯留されています。CCS は、電化や水素化の中で、CO_2の排出が避けられない分野でも排出が抑制できるため、カーボンニュートラル実現、エネルギーの安定供給の面で不可欠とされている技術で、法案が成立し施行されると、わが国でも本格的に CCS 事業の道が開かれることになります。

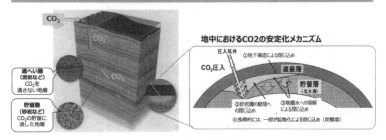

- CCSでは、**地下約1,000～3,000mほどにある貯留層**まで井戸を掘り、地中の圧力・温度を活用して**CO2の体積を約300分の1まで圧縮して貯留**。また、フタとなる遮蔽層が上部にあることが前提。**約50年の実績がある石油増産技術**（CO2を油田・ガス田に入れて、増産を図る技術）で確立した手法を活用。
- 貯留されたCO2は、①地下構造や②砂岩層の隙間に閉じ込められ、さらに③地層水への溶解、長期的には④鉱物化などにより閉じ込めが進む。地中貯留の経過時間が長くなるほど、貯留は安定化へ向かう。
- 我が国でも、新潟県長岡市（2003～05年、1万トン）、北海道苫小牧市（2016～19年、30万トン）の貯留実証の経験あり、現在まで安定的に貯留。
- CCSは、貯留地域の理解を得つつ進めることが重要。事業者には地元自治体や関係者等への丁寧な説明が求められるとともに、CCSの政策的な意義や最新の知見等について理解を得るための国の取組が重要。

CCS事業の概要

（出典：経済産業省）

—— CCS は、CO_2 の分離・回収、輸送、貯留のプロセスで構成され、さまざまな事業者の参入が期待されています。

塚本　これまでに実施された石油探査などのためのボーリングや物理探査から、わが国でも近海の有望11地点で合計160億トンの貯留ポテンシャルがあると推計されています。

2023年3月に国が策定した CCS 長期ロードマップでは、CCS 事業のビジネスモデルを構築するために、2030年までの事業開始を目標として、先進的 CCS 事業を支援し、同年までに「年間貯留量600～1200万トンの確保に目途を付けることを目指す」としています。

—— CCS が本格的に運用されると、石炭から CO_2 を取り出し、貯留しておくことも可能になる、と。

塚本　CO_2 排出削減のために、地中に貯留する CCS の役割は大きいと言えますが、

やはり決め手は、コストになるでしょう。低コスト化に向けて更なる努力が求められると思います。いずれにせよ、こうした技術や制度が確立し、ビジネスとして成り立つということになれば、アジアなど石炭を利活

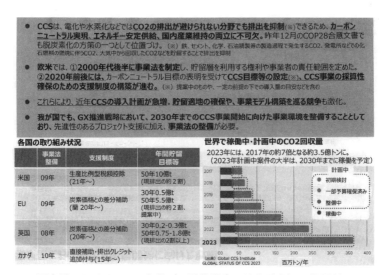

国内外における CCS 事業（二酸化炭素の地中貯留）の位置付け
（出典：経済産業省）

用している国々にも技術移転することが可能になるはずです。エネルギーのベストミックスは、上述の日本同様、国ごとに異なりますので、できればわれわれが先導役になって、日本政府とともにカーボンニュートラル実現に向けて貢献したいと考えています。

海外とのネットワークをフルに生かし、2050年カーボンニュートラル実現に貢献していく

──現在、貴機構で取り組まれている新たな技術はどんなことでしょうか。

　大塚　現在、われわれが最も注力している技術が、CCUS（Carbon dioxide Capture Utilization and Storage）で、CO_2 を回収、貯留し、有効活用していく技術です。前述した CCS は、CO_2 を回収し、貯留するという技術に対し、CCUS は、例えば CO_2 を科学的に有用物質に変換するなど、もうワンステップ高い技術が必要です。もちろん、CCS でも説明した通り、社会実装させていくためには、コストの問題もクリアせねばなりません。

　当機構は、2023年10月に米国ワイオミング大学と CCUS をはじめ、水素、クリーンコールテクノロジーなどの相互協力に向けた MOU を締結し

ました。

**──先ほどから、塚本理事長のお話を伺って驚いたのは、貴機構がお持ち
の海外ネットワークです。**

塚本　カーボンフロンティア機構は、もともとは石炭協会という団体でし
た。1948年３月に設立され、わが国の戦後復興を支えた団体の一つです。
当時の日本は、鉄鋼、電力、石炭、化学肥料などの分野に傾斜的に資本を
集中させて、傾斜生産方式で国の復興を図っていました。

　当時の石炭産業は、北海道や九州などが主な生産地として、全国にあっ
た石炭採掘場から採れる国内炭によって賄われていました。一方、石炭開
発の光と影といいますか、地下の深いところに坑道を掘って、地圧、地
熱、ガスなど非常に過酷な労働条件の下、採掘したわけですから、炭鉱事
故などに非常に注意を払わないといけませんでした。つまり、当時の日本
は、世界の最先端の保安技術も持っていたわけです。

　他方、現在、中国や、ベトナム、インドネシアなどアジア諸国では、日
本より遅れて経済が発展したこともあり、石炭需要も後から起こり、炭鉱
事故も後を絶ちませんでした。そうしたときに、われわれは、保安技術の
協力を各国と地道に行ってきました。これが、今、非常に生きていて、正
式な外交ルートを通じなくても、ASEANの国々をはじめ、各国とのパイ
プが構築されています。こうした国々とは、技術連携を行ったり、定期的
にシンポジウムや共同セミナーなどを開催して、その関係はますます充実
したものになっています。

**──塚本理事長のお話を伺い、貴機構が果たされてきた民間外交の素晴ら
しさを再認識しました。**

塚本　脱炭素、カーボンニュートラル時代になって、当機構では、さまざ
まな新しい革新的な技術を海外に展開したり、技術交流を行って、結果的
に海外ネットワークがさらに充実していくことになっています。われわれ
は、この良いサイクルをさらに続けられるように努力したいと考えています。

──ありがとうございました。

第5章

先進企業の取り組み

鹿島建設株式会社

2050年カーボンニュートラルに向けた鹿島の取り組み

　秋田県の佐竹敬久知事は、2022年12月に同県能代港、23年１月に同県秋田港でわが国初の大規模洋上風力による発電施設完成と商業運転を迎え、「日本の再生可能エネルギーの将来に大きな可能性をもたらすとともに本県の経済構造の構造転換にも寄与すると確信しています。本県としては、腹を据えて前に進めていきたい」と高らかに宣言した。

　この大規模洋上風力の設計、施工を担ったのが、鹿島建設株式会社（以下、鹿島と表記）だ。同社常務執行役員内田道也環境本部長は「12年度から再生可能エネルギーの固定価格買取制度（FIT）が施行されたことに伴い、わが国でも洋上風力案件の検討が加速しました。秋田県は14年に再生可能エネルギー導入に向けた協議会を設置し、秋田港および能代港の港湾区域に、洋上風力発電設備を建設・運営する事業者公募を本格化させたのです」と振り返る。

　15年に事業者が選定され、鹿島は認証設計段階から優先交渉権を得て、同プロジェクトに参画した。洋上風力の建設にあたって、風車基礎部材を欧州で製作し、秋田港内の仮設ヤードまで海上輸送した。基礎設置工は、欧州の専門業者と契約し、SEP 船（Self Elevating Platform ＝自己昇降式作業台船）をシンガポールから回航させて工事を行った。SEP 船を使用した理由として、内田氏は「洋上風力の建設では、非常に高い施工精度が要求されますが、SEP 船を用いることで施工期間中の高波や強風など、海洋の厳しい条件に耐えうる強固で安定した作業構台を海面上に設けることができ、基礎や高さ150m にもおよぶ風車部材を安全かつ高精度に設置

することができました」と述懐する。

元来、鹿島は、1967年にSEP船を国内の海洋工事に初適用、72年に自社保有のSEPを建造し、これまで明石海峡大橋海中基礎工事をはじめ、数多くの海洋工事を施工してきた実績を持つ。洋上風力発電に関しても、NEDO銚子沖実証工事、福島浮体式洋上ウインドファーム実証事業での風車建設などに携わってきた。

秋田港・能代港洋上風力発電工事
（出典：秋田洋上風力発電㈱）

この経験とノウハウを能代港・秋田港の洋上風力プロジェクトでは、最大限に生かしたわけだが、同時に、「持続可能な社会を創り上げていくためには、地域の意向を最大限尊重していく必要がある」（内田氏）と地域重視の姿勢を強調する。実際、仮設ヤードの陸上工事や洋上の洗掘防止工は、地元の建設業者が施工した。秋田県は「経済効果だけに留まらず、将来の技術構築という上でも大変大きい」（佐竹知事）と地元企業が参画した実績を高く評価。さらに鹿島は、施工期間中は近隣の騒音・振動影響にも配慮して、早朝・夜間の風車基礎のくい打ち作業を停止。また、地元漁

鹿島建設株式会社
常務執行役員環境本部長
内田　道也（うちだ　みちや）

1960年生まれ、東京都出身。東京大学工学部都市工学科卒業後、84年鹿島建設株式会社入社。92年米国ペンシルバニア大学ウォートン校留学、94年同校卒業（経営学修士）、2006年4月鹿島建設海外法人統括部開発担当部長、12月中国室長（兼務）、07年鹿島ヨーロッパ社代表取締役社長（欧州統括）、12年鹿島建設海外事業本部本部次長兼開発部長、15年副本部長兼開発部長、16年執行役員、18年鹿島USA社代表取締役社長、21年鹿島建設常務執行役員、2022年常務執行役員環境副本部長、23年4月より現職。

業への影響も考慮して、洋上作業期間も定める方針を貫いた。

　2023年9月には、1600トン吊SEP船CP16001（五洋建設・寄神建設と共同保有）が完成。内田氏は、「こうした最新鋭の設備を最大限に用いて、50年のカーボンニュートラル実現に貢献していく」と洋上風力発電をはじめ、さまざまな再生可能エネルギー技術の案件発掘と事業化を積極的に推進していくことに意欲を見せる。同時に、秋田県での事例のように「持続可能な社会を地域とともに創り上げていく」（内田氏）姿勢を強調する。

　本業である建設業から排出されるCO_2削減に加え、内田氏は「当社グループが今後も事業を継続するためには、環境関連技術と地域との共生をいかに組み合わせていくかが極めて重要」としているが、2050年カーボンニュートラル実現に向けて、鹿島はどのように考えているのだろうか──。詳しくひも解いてみよう。

四つの脱炭素ソリューション「M＋3R」

　鹿島は持続可能な社会の実現に向け、2013年に「鹿島環境ビジョン：トリプルZero2050」を策定。持続可能な社会を「脱炭素」「資源循環」「自然共生」の三つの視点で捉え、50年までに同社が達成すべき将来像を「Zero Carbon」「Zero Waste」「Zero Impact」と掲げ、建物を建てる・利用するという一連のプロセスで排出されるCO_2に対し四つの脱炭素手法「M＋3R」を提唱した。

　内田氏は「当社はCO_2も資源と捉え、四つの技術によって脱炭素化し、循環させていくという考え方です」と明快に説明する。

　四つの技術とは、①測る技術（Monitor）②減らす技術（Reduce）③置き換える技術（Replace）④吸収する技術（Remove）で、これら四つの技術を組み合わせ、21年を基準に、30年度の中間目標を自社排出（スコープ1・2）で42％削減し、サプライチェーン排出目標25％削減を目指す。50年度には、自社排出およびサプライチェーン排出の双方でカーボンニュートラル（100％削減）を目指すとしている。

　では、四つの技術を詳しく見ていこう。測る技術（Monitor）とは、建

	測る Monitor	減らす Reduce	置き換える Replace	吸収する Remove
スコープ3（サプライチェーン上流）建材製造時など	● コンクリート製造・運搬時のCO₂排出量算定プラットフォーム ● 個別工事の建材CO₂排出量算定	● 現場物流の効率化	● 木造・木質建材 ● 環境配慮型コンクリート ● 低炭素材料の開発、調達	● CO₂吸収コンクリート CO₂-SUICOM
スコープ1・2 建設事業、開発事業など	● 設計・見積時の CO₂排出量算定 ● CO₂排出計画・把握 edes、現場deエコ	● 最適設計 躯体検討、軽体削減、既存躯体利用 ● 施工時のCO₂排出削減 現場deエコ、3D K-Fieldによる運行管理 ● 建設機械の運用最適化 ● 低炭素土壌浄化工法 ● 低炭素解体工法 ● 資材リサイクルの徹底	● 建設機械の脱炭素化 電動化、軽油代替燃料 ● グリーン電力の使用	● カーボン・ゼロ施工 CO₂排出量削減に関する技術の組合せとカーボンオフセットによるCO₂排出量実質ゼロ ● 社有林からのクレジット創出
スコープ3（サプライチェーン下流）建物運用時など	● 建物運用エネルギー把握 AI活用でエネルギーの消費予測などを行う鹿島スマートBM、Ene-Viz	● ZEB・ZEH、省エネ設計 建物の熱負荷低減、設備の最適化 高効率化、自然換気・昼光活用 ● 建物管理・運用の最適化 エネルギーサービス、鹿島スマートBM-BIM-FM、エコチューニング、ESCO事業	● 再エネ外部調達 エネルギー供給サービス ● 再エネ発電事業 発電事業コンサル、共同事業提案 ● オンサイト創エネ・蓄エネ 太陽光発電、ReHP®、燃料電池、蓄電池	● カーボンオフセット支援 ● ブルーカーボン 大型海藻類の再生・保全、カーボンオフセット・クレジットの創出

鹿島建設が掲げる脱炭素ソリューション M＋3R の取り組み一覧
（出典：鹿島建設）

材製造時の CO_2 算定の技術を意味する。同社は、すべての現場の工程において、CO_2 排出量を月単位で把握し、可視化できる「環境データ評価システム（edes：イーデス）」（以下 edes）を18年に開発し、20年度から全国の土木・建築現場で運用を開始している。この全量調査によって明らかになった工種ごと、工事進捗状況ごとの CO_2 排出量データは、新たに構築したエネルギー消費量予測機能システムに組み入れ、現場での CO_2 排出量管理に活用していくことにした。

　内田氏は「グループ全体のサプライチェーン CO_2 排出量を見ると、施工時（スコープ1・2）が3％に対し、建材製造時（スコープ3）が57％、引き渡し後の建材運用時（同）が29％と大きな割合を占めていることが分かりました」と状況を明らかにした。そこで、同社は、CO_2 削減策を拡充し、ユーザーとともにサプライチェーン全体の CO_2 削減に加速していくことになった。

　内田氏は「当社のサプライチェーンの CO_2 のうち、建材製造時削減には、低炭素建材そのものの開発だけでなく、ユーザーの皆さんに対する低炭素建材採用への理解醸成が不可欠です。そのためのコミュニケーションツールとして、当社では概略設計時から建材製造時 CO_2 を迅速に算定で

edes の概念図

（出典：鹿島建設）

きるシステム開発を進めているわけです」と述べる。

　減らす技術について鹿島は、建設資材の効率的かつ環境に配慮した運送を実現するため、物流会社と連携し、専用アプリを開発。この専用アプリを運用することで、資材を大型車両で物流センターまで配送して一時保管、工事のタイミングに合わせて小型車両で現場に運送する仕組みを構築し、現場への導入を進めている。内田氏は「生産性向上でこの現場物流効率化は、CO_2 削減に寄与する取り組みでもあります」と目を細める。

　設計時に躯体や基礎構造を見直し、建材使用量を減らすことは、工事量の縮減（＝施工時 CO_2 削減）にも建材製造時 CO_2 削減にも寄与する。また、スクラップアンドビルドの工事において既存建物の基礎を新築建物の一部として利用することも基礎工事で使用されるコンクリートや鉄筋の資材使用量削減につながる。利便性や快適性に加え、「CO_2 削減という視点を加えた最適設計を推進することがサプライチェーン全体の CO_2 を減らす上で、非常に重要なのです」（内田氏）。

　当然ながら、国が進める ZEB（ネット・ゼロ・エネルギー・ビルの略／ゼブと呼称）や ZEH（ネット・ゼロ・エネルギー・ハウスの略／ゼッチと呼称）の実現、普及においても同社は「求められる期待に応えていく」（同氏）方針を明らかにしている。建物の計画・設計段階から「建物の熱負荷低減技術」「自然換気・昼光活用」など建物運用時の省エネルギー化、設備機器の効率的な運用に至るまで、脱炭素に寄与す環境に優しい建物を提供していく方針だ。

　使用する建材をより低炭素のものに置き換えることも CO_2 削減には重要な技術と言えよう。鹿島は、現場では戻りコンなどの再生材を使用した「エコクリート®R3」、産業副産物を活用する「ECM コンクリート®」など、各種低炭素型コンクリートを開発し、現場に適用している。

コンクリートをサステナブルへ

　さらに、鹿島は、ホワイトカーボン、グリーンカーボン、ブルーカーボンなど、3種の CO_2 を吸収する技術構築にも積極的に取り組んでいる。コンクリートを活用した第3の CO_2 吸収を東京大学・野口貴文教授は「ホワイトカーボン」と称している。コンクリートは建設にはなくてはならない資材だが、その主材料の一つであるセメントの製造工程に由来する CO_2 を宿命的に背負っているため、これまでは鉄と並んで CO_2 排出量の大きい材料の代表格と位置付けられていた。

　鹿島は中国の古代コンクリートの調査・分析結果をもとに、それまで常識外とされていたコンクリートによる CO_2 吸収技術の開発に他社と共同で取り組み、2014年 CO$_2$-SUICOM を、世界で初めて完成させた。

　CO$_2$-SUICOM は、CO_2 を吸収して固化する特殊な混和材を材料に加えてコンクリートを練り混ぜ、硬化する過程で強制的に高濃度の CO_2 を与えて CO_2 を吸収・固定化する「炭酸化養生」を行って製造する。これにより、コンクリート製造時の CO_2 排出量をゼロ以下にできる「カーボンネガティブコンクリート」を実現した。CO$_2$-SUICOM の技術と組み合わせることでさらなる CO_2 吸収量の増大を図り、ホワイトカーボンの実現に寄与できるよう、研究開発を続けている。

　同時に、同社は、廃コンクリートなど産業廃棄物中のカルシウムにあらかじめ CO_2 を吸収させ、固定化した材料（CCU 材料）をコンクリート用の材料として利用する技術の開発にも積極的に乗り出している。まさに、鹿島は「コンクリートの世界に革新を起こしながら、持続可能な未来を創り出そう」（内田氏）としているわけだ。

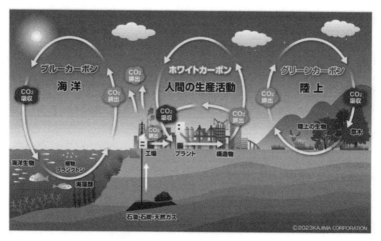

三つの CO₂ 吸収源：グリーンカーボン、ブルーカーボン、
ホワイトカーボンのイメージ

（出典：鹿島建設）

グリーンカーボンやブルーカーボンも視野に、「吸収の技術」構築へ

　また、鹿島は、森林による CO₂ 吸収、すなわち「グリーンカーボン」にも注力している。グリーンカーボンは、山林の適切な手入れと健全な成長が前提となる。そこで、同社グループは、約120年前に始めた北海道音別町から南は宮崎県延岡市まで、気候も植生も異なる国内各地約5500ヘクタールに及ぶ山林を整備し、経営している。合計で東京ドーム1170個分にも相当する各山林には、その土地に合った樹種の探求が求められるという。「育て、伐って、植える」という循環サイクルを整備することで国土保全、環境保全、生物多様性にも配慮した次世代の森づくりを進めているというわけだ。同社は、適切な森林管理による CO₂ 吸収分をカーボンクレジットとして国が認証する「J‐クレジット」の追加取得も視野に入れる。

　一方、国連環境計画（UNEP）は2009年、沿岸域の藻場や浅場などに生息する、海洋生態系に取り込まれ隔離・貯留された炭素を「ブルーカーボ

ン」と命名し、新たな CO_2 吸収源として定義した。ブルーカーボンの主な吸収源としては、藻場（海草と海藻）や干潟などの塩性湿地、マングローブ材などが挙げられ、世界中から注目を集めたのは記憶に新しい。

こうした流れを受けて、鹿島は、ブルーカーボンにも着目する。同社技術研究所は、各地域に生育する大型海藻類の研究を約30年にわたって続けており、その蓄積が近年、全国の沿岸域で問題になっている藻場衰退の解決に役立っている。この技術は、消失が危惧される藻場の大型海藻類の母藻を採取して大量培養するもので、国土交通省の認可団体が発行する「Jブルークレジット®」を早々に取得した。

内田氏は、「鹿島は、地域重視、自然との共生を120年も前から営々と進めてきたわけです。新たな四つの技術とともに、自然の有する力を積極的に活用して50年カーボンニュートラル実現を見据えていきたいと思います」と前を向いた。

鹿島建設株式会社

所 在 地 ▌東京都港区元赤坂1-3-1
（本社）　　TEL：03-5544-1111（代）　URL：https://www.kajima.co.jp/

代 表 者 ▌代表取締役会長　押味至一
　　　　　　代表取締役社長　天野裕正

設 　 立 ▌1930年（創業：1840年）

資 本 金 ▌814億円

従業員数 ▌8129人（2023年3月末現在）

川崎重工業株式会社

水素サプライチェーン全体の技術を保有する世界唯一の企業として脱炭素に貢献

「当社は水素を『つくる』『はこぶ・ためる』『つかう』サプライチェーン全体の技術を保有する世界唯一の企業として脱炭素に貢献していきます」と力強く語るのは、川崎重工業株式会社の山本滋執行役員水素戦略本部長。同社は、日豪の両政府・民間各社のパートナーと共に世界初の国際的な水素サプライチェーンを2022年にパイロット実証として構築し、わが国水素産業をけん引するリーディング企業として内外に知られている。

現在の同社水素サプライチェーン構築の進捗状況を、山本氏は「ホップ、ステップ、ジャンプの3段階で例えると、現在は"ステップ"に当たる第2段階です。21年に、国のグリーンイノベーション基金事業において商用化実証事業に着手、豪州のビクトリア州ヘイスティング地区と神奈川県川崎臨海部を結ぶサプライチェーン構築を進めています」と説明する。同社は23年9月に川崎臨海部の水素需要の開発を通じた地域経済の持続的

日豪水素サプライチェーン実証完遂セレモニーでスピーチする岸田文雄総理。
（2022年4月　出典：官邸HP）

な発展と日本におけるカーボンニュートラルの早期実現を目指し川崎市と連携協定を締結、さらにレゾナックと30年頃の水素利活用を見据えた「川崎地区の水素発電事業開発にかかる協業の覚書」を締結した。

商用化実証事業とは、機器のサイズを商用と同等規模に大型化。安価な水素供給が可能かどうかを見極める商用

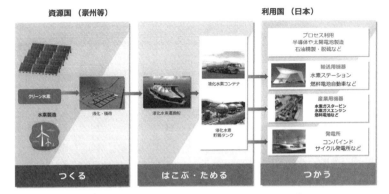

| 資源国 （豪州等） | | 利用国 （日本） |

CO₂ フリー水素サプライチェーンのコンセプト

CO_2 フリー水素サプライチェーンのコンセプト
CO_2 の排出を抑制しながらエネルギーを安定供給させる狙いがある。
（出典：川崎重工業）

一歩手前の内容と言えよう。商用化実証は、同社が出資参加している日本水素エネルギーのほか、ENEOS、岩谷産業と共同体制で展開する。事業期間は21年度〜30年度までの10年間にわたって実施される。

　山本氏が説明してくれた "ホップ" とは、液化水素サプライチェーンを完遂させたパイロット実証を意味する。同実証によって、オーストラリア・ビクトリア州で採掘された褐炭（かったん）由来の水素製造と、マイナス253℃に液化して液化水素運搬船による日豪間片道9000キロメートル長距離輸送の技術が世界で初めて実証された。22年春には、神戸市で岸田

川崎重工業株式会社執行役員
水素戦略本部長
山本　滋（やまもと　しげる）

1963年生まれ、東京都出身。日本大学理工学部卒業後、87年川崎重工業入社。17年理事 本社技術開発部水素チェーン開発センタープロジェクト推進部長、19年副センター長、21年准執行役員本社水素プロモーション総括部長、22年上席理事本社水素戦略本部長、23年4月執行役員本社水素戦略本部副本部長兼技術開発本部付、24年4月から現職。

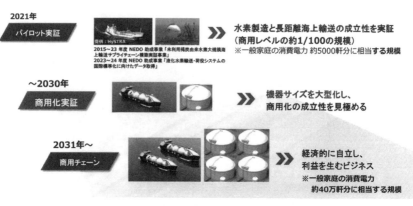

2021年
パイロット実証

提供：HySTRA
2015〜23年度 NEDO 助成事業「未利用褐炭由来水素大規模海上輸送サプライチェーン構築実証事業」
2023〜24年度 NEDO 助成事業「液化水素輸送・荷役システムの国際標準化に向けたデータ取得」

水素製造と長距離海上輸送の成立性を実証
（商用レベルの約1/100の規模）
※一般家庭の消費電力 約5000軒分に相当する規模

〜2030年
商用化実証

機器サイズを大型化し、
商用化の成立性を見極める

2031年〜
商用チェーン

経済的に自立し、
利益を生むビジネス
※一般家庭の消費電力
約40万軒分に相当する規模

商用化に向けた水素プロジェクトの展開
2024年現在は、第2段階の商用化実証の進捗状況にある。

（出典：川崎重工業）

文雄内閣総理大臣ら政府の要人も参加して完遂セレモニーが開催された。山本氏は「おかげさまで日豪政府の支援の下、パイロット実証は一区切りつきました」とほほ笑む。

では、"ジャンプ"に当たる第3段階を、同社はどのように見据えているのだろうか——。

「この段階になると、設備導入から運用に至るまで、経済的に自立し、利益を生む実ビジネスとして位置付けられることになります」（山本氏）。さらに「液化水素の海上輸送技術にさらに磨きをかけたい」と力を込める。液化水素は、海上輸送時にボイルオフガス（BOG）の水素を再利用して液化水素運搬船の推進燃料にすることが可能で、航行時のCO_2排出ゼロに貢献できる。

山本氏は、「液化効率を高める革新技術開発にも積極的に取り組みたい」とさらなる高みも見据える。現時点でのグリーンイノベーション基金を活用した「水素液化機向け大型高効率機器の開発」の開発体制は民間企業としては同社単独だが、山本氏は「今後の状況次第で、趣旨に賛同してくれる民間企業も現れてくるのではないでしょうか」と期待を寄せる。将来的には、より多くの企業との協業なども視野に入れている。

川崎重工業グループが関わる水素関連製品群
川崎重工業は水素を「つくる」「はこぶ・ためる」「つかう」サプライ
チェーン全体の技術を保有する世界で唯一企業として脱炭素に貢献してい
くとしている。

（出典：川崎重工業）

総合重工の技術シナジーによって、多彩な水素関連商品群を展開

　川崎重工業の水素関連製品群は、液化水素のサプライチェーン構築に
よって得られた「つくる」（肥料プラント・水電解システム・水素液化機
など）「はこぶ・ためる」（液化水素タンク、液化水素ローディングアー
ム、液化水素運搬船、液化水素コンテナ、高圧水素トレーラーなど）「つ
かう」（水素ガスタービン、水素ガスエンジン/舶用水素燃料エンジン、
水素焚きボイラなど）などの技術によって、多岐にわたるラインナップが
組まれているのが特長だ。言い換えれば、総合重工の技術シナジーによっ
て、多彩な製品化が実現されているとも言えるだろう。

　山本氏は「水素発電で培った技術、ノウハウを生かし、当社のさまざま
な事業部門で脱炭素化の動きが加速しています。この勢いで、ぜひ世界を
リードしていきたいですね」とさらなる意欲を見せる。国のグリーンイノ
ベーション基金も積極的に活用。「技術的な開発段階で、国からの支援が
得られるのは大変ありがたいことです」と国の政策を高く評価する。

2018年4月神戸市ポートアイランドで世界初の市街地での水素発電を達成した。

（出典：川崎重工業）

神戸市ポートアイランドで、世界初の水素発電を達成

　具体的に、水素利用分野における川崎重工業のラインナップを詳しく見てみよう。まず、市街地におけるガスタービンでの水素専燃（水素100％）による熱電供給を世界で初めて達成した水素発電が挙げられる。ガスタービン本体の一部（燃焼器）のみの改修で対応可能で、燃焼器は水素と天然ガスを自在の混合率で運転できる。

　2018年に実証設備が神戸市ポートアイランドに設置され、神戸市、関西電力、大林組、岩谷産業、大阪大学、関西大学などと共同で実施し、近隣のスポーツセンターや病院に電気と熱を供給している。

　ポートアイランドで稼働している水素発電システムは、「まち中に設置されているのが特長で、近くには住宅や学校もあります。海外の視察者から『よくこんなまち中に水素発電システムが造れましたね』と驚かれることもしばしばです」（山本氏）。

　実際、海外からも水素発電は大いなる注目を集めている。ドイツの大手電力会社RWEとは水素燃料100％の発電実証に向けた協議が行われ、26年には運転が開始される予定だ。ベルギーのChevron Phillips Chemical International N.V.からは現在稼働中の天然ガス焚きガスタービンコージェネレーションシステムを、体積比30％までの任意の割合で水素を混焼可能

水素発電で培った「水素を安全・クリーンに燃やすノウハウ」

Kawasakiの燃焼技術をさらに追求し、モビリティの内燃機関でも世界をリード
2050年までに関連市場は　数兆円規模

水素燃料船推進システムの開発[1]
2026年頃までに、様々な用途に対応可能なラインアップを完成

水素航空機向けコア技術開発[2]
2035年以降の水素航空機の本格投入を見据え開発を推進

[1] NEDOグリーンイノベーション基金事業「水素燃料船推進システムの開発」(補助金 約219億円)
　（ヤンマーパワーテクノロジー、ジャパンエンジンコーポレーションとのコンソーシアムで採択）
[2] NEDOグリーンイノベーション基金事業「水素航空機向けコア技術開発」(補助金 約180億円)

水素燃料を "マリン分野・航空分野" へ展開

（出典：川崎重工業）

な仕様に改造する工事を受注し、24年2月から営業運転を開始した。山本氏は、「このほか、世界各地から複数の水素発電の引き合いが来ています」と笑顔を見せる。

モビリティのゼロエミッション化も、用途や航続距離に応じてさまざまな選択肢を提供していく

　川崎重工業が伝統的に強みを持っているモビリティ分野における水素エンジンに対するこだわりも並々ならぬものがあると言えるだろう。モビリティのゼロエミッション化は、用途や航続距離に応じてさまざまな選択肢が提供される予定だ。

　具体例を挙げると、「まずは、航空機分野が視野に入ってくるはずです」（山本氏）と明言する。現在の航空機のジェットエンジンは、化石燃料を動力源としているが、2035年以降の水素航空機の本格投入を見据え、グリーンイノベーション基金を活用して水素航空機向けコア技術を開発している。50年までの航空・マリン市場は数兆円規模に成長すると予想される。

　また船舶の推進系統も、グリーンイノベーション基金を活用して、水素ガスエンジンの開発をヤンマーパワーテクノロジー、ジャパンエンジンコーポレーションとの３社体制で進めている。

　鉄道部門では、JR東日本が開発した水素式燃料電池駆動電車「HYBARI」（ひばり）の事例が挙げられる。川崎重工業グループは、水素供給系統を担当。「HYBARI」は、屋根上の水素貯蔵ユニットから水素を燃料電池へ供給し、空気中の酸素との化学反応により発電する仕組みで、特に電化されていない気動車が走る地方への展開が期待されている。

　コロナ禍以降、国内で人気が再燃しているバイク（二輪車）についても、山本氏は「水素エンジン化を図りたい」と意欲的だ。同社グループのカワサキモータース、スズキ、本田技研工業、ヤマハ発動機など国内二輪車メーカー４社と川崎重工業とトヨタ自動車は水素エンジンの基礎研究を目的とした技術研究組合（HySE）を設立。「HySEの基本方針は、バイクに限定せず、例えば建設機械などにも広げられるように、小型モビリティという柔軟な位置付けにしているのが特長です」（山本氏）と明朗に話す。

　そのほか、精密機械部門では、水素ステーション用の水素圧縮機、燃料電池車用高圧水素バルブなどの開発も手掛けており、こうした脱炭素型機械の需要も今後の伸びが期待されている。

脱炭素型機器の開発では、他メーカーや事業者、地方自治体とも積極的に連携

　川崎重工業の脱炭素型機器の開発において注目される動きは、他メーカーや事業者、民間認証機関などとの連携を重要視していることだろう。山本氏は、「脱炭素、水素社会を実現するに当たっては、われわれ１社では成し得ません」と明言する。現在は、各社とも水素事業をどのようにビジネス化するかを模索しており、水素市場そのものを大きく育てている段階と言えるからだ。山本氏は「われわれは、液化水素関連機器の開発過程において、将来の大きな役割を果たす仲間づくりの存在が非常に重要だと学びました」と振り返る。

脱炭素型社会を担う人材づくりにおいても同社は「国や地方自治体、民間企業、アカデミアなどと共に積極的に連携していく」（山本氏）ことを明らかにしている。新たな市場をつくりあげていくための責任と、リーディングカンパニーとしての強い矜持（きょうじ）を持って、川崎重工業は、水素ビジネスの拡大に向けて、まい進している。

川崎重工業株式会社

所 在 地（本社）┃東京本社　東京都港区海岸1-14-5
　　　　　　TEL：03-3435－2111
　　　　　　URL：https://www.khi.co.jp
　　　　　　神戸本社　神戸市中央区東川崎町1-1-3
　　　　　　TEL：078-371-2111
代 表 者┃代表取締役社長執行役員　橋本康彦
資 本 金┃1044億8千4百万円
従業員数┃38,254人（2023年3月31日現在）

電源開発株式会社（Ｊパワー）

電力安定供給を維持しながら、カーボンニュートラルに向け段階的に移行していく

　電源開発株式会社（以下、Ｊパワーと表記）は、2023年10月、「GENE-SIS松島計画」（CO$_2$フリー水素発電を目指した設備更新計画）を引き続き推進するため、松島火力発電所（長崎県西海市）の１号機（石炭火力、出力50万キロワット）を2024年度末に廃止、２号機を同年度末に休止すると発表した。

　「GENESIS松島計画」とは、50年カーボンニュートラルの実現に向け、新たにガス化設備、ガスタービン、排熱回収ボイラーを付加する「アップサイクル」を行うプロジェクトを意味する。石炭をガス化して水素約25％を含む合成ガスを生成し、それを燃料としてガスタービンで発電。更に排熱回収ボイラーで蒸気を発生させ、既設２号機とも連携してトータルで50万キロワットの発電を行う、既設改修型のシステムだ。

　Ｊパワー笹津浩司取締役副社長執行役員は、「コストが安く安定調達可能で、貯蔵性に優れるレジリエントな燃料である石炭を利用するメリットはそのままに、ガス化の特長である高い

松島火力発電所
（出典：Ｊパワー）

出力調整機能と CO_2 削減メリットを付加したことが本プロジェクトの特長だと言えるのです」と説明する。加えて、既設も活用することで移行期の電力需要にも応えることが出来るという。広島県大崎上島町で同社と中国電力が共同出資し、2012〜22年度に進められた「大崎クールジェン」プロジェクト※における、石炭ガス化複合発電技術の実証の成果が、「GEN-ESIS松島計画」にはふんだんに盛り込まれることになりそうだ。

　工事開始は26年、運転開始は28年度を見込む。笹津氏は「将来的には、石炭を用いた CO_2 排出マイナスを可能とする水素発電プラントへ変容・拡張を目指し、松島が CO_2 フリー火力の先進地になるように取り組みたい」と力を込める。

※2012年から経済産業省補助事業、2016年度から国立研究開発法人新エネルギー・産業技術総合開発機構（NEDO）助成事業として実施。

わが国初の海外炭専焼の大規模火力発電所としてスタート

　松島火力発電所は、1981年にわが国初の海外炭専焼の大規模火力発電所として、稼働を開始。大規模火力としては、全国的にも珍しい島嶼（とうしょ）部に設置され注目を浴びたが、何より同発電所がクローズアップされたのは、当時の時代背景に要因があった。

　当時は、二度のオイルショックの直後で、原油価格が高騰。わが国の資源戦略は大きな変動を余儀なくされた。石油に大部分を依存してきたわが

電源開発株式会社（Jパワー）
取締役副社長執行役員
笹津　浩司（ささつ　ひろし）
1962年生まれ、広島県出身。筑波大学大学院環境科学研究科環境科学専攻修了後、1986年電源開発株式会社入社、2010年技術開発センター若松研究所長、2013年火力発電部磯子火力発電所長、2015年技術開発部長、2016年執行役員技術開発部長、2018年執行役員、2019年常務執行役員、2020年取締役常務執行役員、2023年より現職。

国の資源戦略は、エネルギー供給源を多様化させるエネルギーミックスの視点が重要視され、石炭火力の重要性が改めて見直され始めていた。

　当時の国内石炭生産量は、1960年代以来、石油への転換の影響を受け、減少の一途をたどっていた。90年度になると、遂に国内原料炭の生産はゼロ（国内一般炭は、横ばいで推移）になっていく。こうした中で建設された松島火力発電所が供給する電力は、長崎県の平均電力需要の約7割を賄うことができる規模の電気を生み出すとともに、「雇用はもちろん、地域産業への経済効果という意味でも非常に大きかった」（杉澤泰彦西海市長）と地元からの信頼は高いものがあったという。

　実際、同発電所の成功を機に、世界各地では海外炭専焼火力が次々と建設され、アジア太平洋地域に石炭貿易の一大サプライチェーンが出現していく。言い換えれば、同発電所は、80～90年代にかけての日本のエネルギーミックスのシンボルとしての役割を担ったとも言える。Jパワーが「GENESIS（Gasification ENErgy & Sustainable Integrated System からとった同社の造語）と名付けた同発電所の「アップサイクル」につき、今後が注目される。

カーボンニュートラルと水素社会実現に向けて J-POWER "BLUE MISSION 2050" を策定

　2050年カーボンニュートラルと水素社会の実現に向けて、Jパワーは、ロードマップとして J-POWER "BLUE MISSION（ブルーミッション）2050" を2021年に策定した。

　「BLUE MISSION 2050」のアクションプランには、①CO_2フリー電源の拡大②電源のゼロエミッション化③電力ネットワークの安定化・増強という3つを軸に、カーボンニュートラルへのトランジション（移行）が掲げられている。

　笹津副社長は「CO_2フリー電源とは、簡単に言えば、再生可能エネルギーと原子力のことです。これを軸足に、電源のゼロエミッション化にも力を入れていきます。電源のゼロエミッション化とは、CO_2フリー水素の

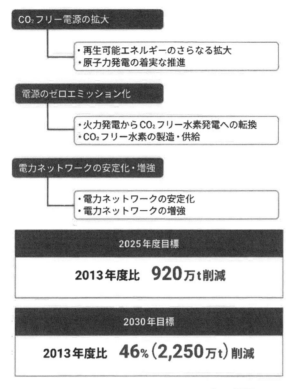

J-POWER "BLUE MISSION 2050" の概要
（出典：Jパワー）

製造と供給、もしくは水素発電ですね。また、再生可能エネルギーの中で
も、今後VRE（変動性再生可能エネルギー）比率の増加を想定すると、
調整力に優れるゼロエミッション電源の導入や、電力ネットワークを安定
化、増強していくことが重要になるという意味になります」と丁寧に解説
しながらも、「ご理解いただきたいのは、われわれは決して特定の領域だ
けに絞って重点的に実施するということではないということです」と同社
の姿勢を強調する。換言すれば、「BLUE MISSION 2050」とは、再生可
能エネルギー、原子力、国内石炭火力、水力、電力ネットワークなどが持
つ、わが国独自の課題を段階的に克服しながらも、電力安定供給の維持と
カーボンニュートラル移行を両立させるトランジション戦略とも言えるだ

ろう。もちろん、前項で取り上げた「GENESIS 松島計画」も「BLUE
MISSION 2050」の一環になる。

> ## 2025年度削減目標920万トン（2013年度比）、2030年度削減目標として2,250万トン（同年度比マイナス46％）を掲げる

　さらに、Jパワーはグループ国内発電事業からの CO_2 排出量削減目標も
設定。2025年度削減目標として、13年度比で920万トンの削減、2030年度
削減目標として同年度比46％減（2,250万トン）を掲げている。笹津副社
長は「この目標実現のキーワードになるのが、『加速性』と『アップサイ
クル』です」と和やかに話す。

　「加速性」とは、これまで同社が全国展開してきた再生可能エネルギー
の拡大をさらに加速させ、CO_2 フリー水素の製造・供給や水素発電などを
積極的に推進していく同社のマインドを指す。同社の再生可能エネルギー
開発の歴史は70年以上に及び、豊富な設備・人材に加え、発電所の立地、
建設から保守・運転、電力販売に至るまで豊富な知見やノウハウを有して
いるのが強みでもある。中でも、同社が注目する分野が洋上風力だ。参画
する英国・トライトン・ノール洋上風力発電所や北九州響灘（ひびきな
だ）洋上ウインドファーム（福岡県）などのプロジェクトを通じて、建設
やプロジェクトマネジメントのノウハウ取り込みを図りながら、新たな洋
上風力発電所の開発を目指すという。特に、遠浅の海域が少ない日本で導
入が期待される浮体式浮遊軸型洋上風力発電については、「スタートアッ
プや電力会社と共同で、早期のコスト低減と導入拡大を目指した技術開発
を進めています」（笹津氏）。

　笹津氏が掲げるもう一つのキーワードが、「GENESIS 松島計画」でも
触れられた「アップサイクル」だ。「アップサイクル」とは、既に保有す
る同社の経営資源に新技術を適用することで、より高付加価値なものに再
構築し、創造的価値変換（アップサイクル）を行う。既存の発電設備や施
設などに最新の技術を適用することで、早期にかつ経済合理性をもって、
環境負荷の低減を実現していく。

国内初の本格的な CCS サプライチェーンの実装を視野に

2024年2月13日、岸田文雄内閣は、「二酸化炭素の貯留事業に関する法律案」（CCS/Carbon dioxide Capture and Storage/CO_2 の地中貯留）事業法案を閣議決定し、第213回通常国会に提出した。地中への CO_2 圧入技術は、これまで EOR（Enhanced Oil Recovery/ 石油増進回収）によって確立されており、海外では既に実用化されている。今後、CCS 事業法案が成立、施行されれば、わが国でも本格的な CCS 事業が進められていくことになる。笹津副社長も「CO_2 の分離回収、輸送と地中での CO_2 貯留は、既設石炭火力発電所やガス火力発電所からの大規模な CO_2 削減を達成するために、非常に有効な手段です。CCS 事業法案には大いに期待したいと思います」とエールを送る。

既に J パワーは、「BLUE MISSION 2050」の一環として、2022年度から、オーストラリア・クイーンズランド州で既設石炭火力発電所由来の CO_2 の回収・輸送・貯留まで一貫して行う実証事業に参画。同区域での貯留ポテンシャルは、5億トンの CO_2 が見込まれており、2025年から年間最大11万トンの CO_2 貯留開始を目指している。

さらに、J パワーはオーストラリア・ビクトリア州に大量賦存（ふぞん）する褐炭に着目。それをガス化し、現地の CCS 事業と連携して CO_2 を処理したクリーン水素製造プロジェクトの商用化に向けた検討も進めている。

一方、国内に目を向けると、ENEOS および JX 石油開発と共同で、合弁会社「西日本カーボン貯留調査株式会社」を2023年2月に設立。国内初の本格的な CCS サプライチェーンの実装を見据える。J パワーと ENEOS の排出源が立地し、CO_2 貯留ポテンシャルが見込まれる九州北部〜西部沖の海域帯水層に、CCS 事業化に向けた調査などの準備を進めている。2023年には、独立行政法人「エネルギー・金属鉱物資源機構」（JOGMEC）が実施する「先進的 CCS 事業の実施に係る調査」（①苫小牧地域②日本海側東北地方 CCS ③東新潟地域④首都圏 CCS ⑤九州北部〜西部沖⑥マレー

半島沖 CCS ⑦大洋州 CCS）の一つに選定され、今後は、CO$_2$ の分離回収・輸送・貯留に関する設備検討などを推進していくとしている。

　笹津氏は「CCS に関しては、必ずしも国内だけで実施するということではなく、適地が海外にあればそこに持って行って処理するという選択肢も視野に入れています」とのマインドも明らかにした。いわゆる越境 CCS という考え方で、日本で排出される CO$_2$ を分離・回収して船舶などで運び、別の国の地域で CCS 処理するというものだ。

　むろん、CCS の適地は、世の中にイーブンにあるわけではない。現状は、相対的に CCS に適するだろうという場所が分布しているに過ぎないそうだ。だが、当然ながら今後、越境するには受け入れ国との国際ルールが求められてくるだろう。Ｊパワーは、民間サイドの立場から「現在、海洋投棄に関しては、ロンドン条約くらいしか国際ルールはありません。こ

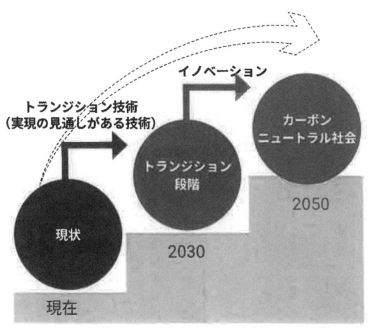

Ｊパワーが考えるカーボンニュートラルへの移行ステップ
（出典：Ｊパワー）

うした中で、CO_2がきちんと位置付けられて、越境する場合でもきちんと利用できる仕組みの整備が求められてくると思います」（笹津氏）と問題提起の姿勢も見せる。

電力は、供給面、価格面の安定性を保ちながら、段階的に脱炭素に移行すべき

　カーボンニュートラルへの移行手段やそのスピードは、各国の事情や当該国の産業部門によっても異なるのが実情だ。イノベーションやその実装にも多くの時間と研究開発が必要になる。笹津副社長は「特に、社会・経済活動の基盤となる電力は、供給面、価格面の安定性を保ちながら、脱炭素に移行する必要があります。加えて、大規模発電所の休廃止は地域経済や雇用にも大きな変化をもたらすため、ステークホルダーとの協議を経て、決定していく必要があります」と語り、一足とびにカーボンニュートラルへ移行するのではなく、段階的に移行していくことの重要性を説く。

　同社の企業理念には、「私たちは人々の求めるエネルギーを不断に提供し、日本と世界の持続可能な発展に貢献する」と記されている。再生可能エネルギーと原子力を軸に、石炭火力の高効率化からCCS適用まであらゆる領域で、段階を追いながらカーボンニュートラル移行を目指す同社のあくなき姿勢は、エネルギー供給源を多様化させエネルギーミックスを追求すべきわが国の資源戦略に重なって見える。

電源開発株式会社（Ｊパワー）

所 在 地 ▌東京都中央区銀座6丁目15-1
（本社）　　URL：https://www.jpower.co.jp/

代 表 者 ▌取締役会長　渡部　肇史

　　　　　　取締役社長　菅野　等

資 本 金 ▌1805億200万円

従業員数 ▌1816人（2023年3月31日現在）

東京ガス株式会社

ガス体と再エネの両輪で「責任あるトランジション」をリードする

はじめに

　東京ガスグループでは、政府の表明に先駆け、2019年11月発表の経営ビジョン「Compass2030」で、「『CO_2 ネット・ゼロ』への移行をリード」することを日本のエネルギー企業として初めて表明した。その後、23年2月に公表した中期経営計画「Compass Transformation23-25」では、エネルギー安定供給を確保しながら、カーボンニュートラル分野を順次事業化・収益化し、「ガス・電力双方のバリューチェーンで『責任あるトランジションをリード』」していく決意を示している。足元において国内外で LNG の高度利用を一層推進することで CO_2 排出量の削減を図りながら、その収益を再生可能エネルギー・e-methane※・水素などの先進的なカーボンニュートラル分野に投入し、30年度を目途に e-methane の海外大規模製造・サプライチェーン構築、当社の国内都市ガス販売量の1%（約8000万 m^3 － 卸、発電を除いた当社の都市ガス販売量の1%（20年データ））を目指す。

> ※ e-methane はグリーン水素等の非化石エネルギー源を原料として製造された合成メタンに対して用いる呼称。都市ガスの主成分であるメタンは e-methane に置き換えが可能である。発電所などから排出する CO_2 と再生可能エネルギーを用いた水の電気分解で発生したグリーン水素を原材料としてメタネーションプロセスによって e-methane を製造し、都市ガスとして利用・燃焼させると大気中の CO_2 は実質的に増加しない。

　当社グループは30年度に e-methane 1% 導入と再生可能エネルギー電源取扱量600万 kW を実現すべく、23年4月にカーボンニュートラル事業に取り組む社内カンパニー（グリーントランスフォーメーションカンパニー）を設立した。当該カンパニーでは、e-methane と再生可能エネルギーの事業開発や水素製造コストの低減に向けた技術開発、e-methane の革新的技術開発に加えて、水素ステーション運営などの水素社会のインフラ整備・運営にも取り組んでい

る。

水素関連技術の開発・実証試験・商用運転

1　技術開発

（1）　水電解による水素製造

PEM（Polymer Electrolyte Membrane：固体高分子電解質膜）形水電解装置は、再生可能エネルギーなどを電源とした場合の負荷変動に柔軟に追随でき、グリーン水素製造装置として期待されている。PEM形水電解装置のコストの約半分はセルスタックが占めており[1]、安価なグリーン水素を得るためには、セルスタック大量生産技術の確立とセルに用いられる触媒のコスト低減が重要だ。

当社は、セルスタックの大量生産技術の確立に向けて、CCM（Catalyst Coated Membrane：触媒付き電解質膜）を連続で製造できるロール to ロール方式の製造技術を保有する株式会社SCREENホールディングスと、PEM形水電解セルおよびスタックの製造技術の開発を行っている。2021年から2年間の開発で、セルスタックの心臓部となる水電解用CCMの製造技術を確立し、$1200cm^2$超のCCM製造に成功した。

また、触媒コストの低減に向けて高価な触媒使用量削減にも取り組み、貴金属触媒使用量として、30年欧州目標[2]である0.25 mg/W以下を既に達成しつつ、良好な水電解性能および高い耐久性を得ることができた。加えて、特に高価なイリジウム使用量をさらに減らすために、アメリカのスタートアップと共

東京ガス株式会社
代表執行役副社長　CTO
グリーントランスフォーメーションカンパニー長

木本　憲太郎（きもと　けんたろう）

1961年4月生まれ、静岡県出身。東京大学大学院工学系研究科修了。1986年東京ガス株式会社入社。2015年執行役員資源事業本部原料部長、17年常務執行役員原料・生産本部長、20年常務執行役員エネルギー生産本部長、デジタルイノベーション本部長、21年専務執行役員デジタルイノベーション本部長、22年専務執行役員CTO、CDOデジタルイノベーション本部長、23年4月より現職。

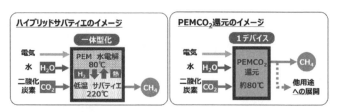

図1：革新的メタネーション技術（ハイブリッドサバティエ（左）、PEMCO₂還元（右））の概念図

（出典：東京ガス）

同で、同社が有する独自の触媒探索エンジンを用いた触媒開発を行っている。

　今後、水電解システムメーカーの需要帯である5000cm²サイズの水電解用CCMの量産設備を構築し、早期に安価なグリーン水素の大量生産を目指していく。

1）IRENA, Green Hydrogen Cost Reduction（2020）.
2）国立研究開発法人新エネルギー・産業技術総合開発機構(以下、NEDO) 燃料電池・水素技術開発ロードマップ 水電解技術開発ロードマップの策定に向けた課題整理（解説書）別添海外動向について（2023）.

⑵　革新的メタネーション技術（e-methane 製造技術）

　CO_2と水素を高温下(約400℃〜600℃) で触媒を介して反応させるとメタンが生成する。この反応はサバティエ反応と呼ばれ古くから知られているが、再生可能エネルギーから水素を製造し、次にサバティエ反応を経て e-methane を製造すると、電力を100％とした場合の e-methane のエネルギー変換効率は50% 程度まで下がってしまう。また、サバティエ反応の大きな発熱に伴う熱マネジメント上の課題も存在する。これらの課題の解決を目指して、当社では政府のグリーンイノベーション基金（以下、GI 基金）による支援を受けながら、より低温なプロセスで高効率にメタネーションを行う革新的技術の開発に取り組んでいる（図1）。

　ハイブリッドサバティエ技術は水電解スタックとメタネーション反応装置を一体化することで、サバティエ反応の発熱を吸熱反応である水電解に活用して熱相殺し、必要な電力投入量を大幅に削減して効率を改善するものだ。また、PEM CO_2 還元技術は電気化学反応により水と CO_2 から一段でメタンを合成することで、水電解による水素製造過程を必要としないため小型化や高効率化が期待できる。これらの技術について、30年までの早期に当社横浜テクノステーションでの実証機の稼働を目指し、急ピッチで開発を進めている。

2　商用運転

（1）　水素ステーション

当社は、2014年12月に関東初の商用水素ステーションである練馬水素ステーションを開所。その後、千住水素ステーション、浦和水素ステーションの営業を開始した。20年1月には日本初のFCバスの大規模受入が可能なオンサイト方式

図2：豊洲水素ステーションでのFCバス水素充填
（出典：東京ガス）

の水素ステーションとして豊洲水素ステーション（図2）を開所し、公共交通機関の運行を支えている。また豊洲水素ステーションは「カーボンニュートラル都市ガス」※を原料として水素を製造する日本で初めての水素ステーションだ。

※「カーボンニュートラル都市ガス」とは、天然ガスの採掘から燃焼に至るまでの工程で発生する温室効果ガスを、CO_2クレジットで相殺（カーボン・オフセット）し、燃焼しても地球規模ではCO_2が発生しないとみなすLNG（カーボンニュートラルLNG(以下CNL)）を活用したもの。

23年7月には、水素ステーションにおける水素の低炭素化のために、千住水素ステーションにおいてEnapter社製のAEM（Anion Exchange Membrane：陰イオン交換膜）水電解装置を設置し、製造したグリーン水素の供給を開始した。AEM水電解装置は、電極に貴金属を使用しないなどの特徴を有している。千住水素ステーションでは、水電解装置を含めたすべての電力に非化石証書が付与された実質再生可能エネルギーの電気を利用し、CO_2フリー水素を製造・供給している。

当社はこれらの水素ステーションの運営を通じて、FCVの普及と水素供給基盤の確立に貢献していく。

（2）　ローカル水素ネットワーク

東京2020オリンピック・パラリンピック競技大会の選手村跡地であるHARUMI FLAGは、東京ベイエリアに位置する大規模再開発プロジェクトである。エリア内に建設される水素ステーションでは、FCVおよびBRT (Bus Rapid Transport)への水素充填を行うと同時に、製造した水素を低圧水素パイ

プラインにより住宅街区および商業街区に供給する。各街区には純水素型燃料電池コージェネレーション設備が設置され、熱電供給により電力および熱需要の一部を賄う。パイプラインによる街区への水素供給は日本国内で初のプロジェクトだ。

e-methane サプライチェーンの構築

e-methane は、2050年のカーボンニュートラル化に向けた重要な課題である"電化が困難な日本の民生・産業部門の熱需要分野におけるカーボンニュートラル化"に貢献するものだ。また、既存の LNG インフラを活用できる点で、エネルギー安定供給と社会的コスト低減が両立可能であるとともに、再生可能エネルギーを原料とすることでエネルギー源の多様化とエネルギーセキュリティ向上に資するものである。

社会実装を考える上では、"作る"ところから"使う"ところまで、バリューチェーン全体でのコスト低減が重要となる。日本エネルギー経済研究所による水素キャリアを比較した経済性試算では、グリーン水素キャリアの中でe-methane のコスト優位性が認められている。特に e-methane は、海外からはLNG インフラ、国内では26万 km の都市ガス導管や2700万件の利用者側機器まで、既存のインフラが活用できるため、エネルギートランジションに向けた追加的社会的コストの抑制と速やかな普及が期待できる。

当社は e-methane の商用化、社会実装に向けて、国内地産地消プロジェクトに加え、e-methane の原材料である安価かつ豊富な再生可能エネルギー資源・CO_2 を大量に確保可能な LNG 液化プラントが位置する国・地域からの日本向け海外サプライチェーン構築・商用化検討を行っている。

（国内地産地消プロジェクト事例）

国内では需要家から排出される CO_2 の有効活用と地産地消の取り組みを進め、エネルギーセキュリティの向上に貢献できないかと考えている。具体的には、太平洋セメントをはじめ複数の企業と、製造過程で排出される CO_2 を原料に需要家のサイトで e-methane を製造し供給することを検討している。

（商用化検討プロジェクト事例①）　米国 Cameron LNG 基地近傍での e-methane 商用化検討

当社、大阪ガス、東邦ガス、三菱商事、米センプラ（Sempra Infrastructure Partnere LP）の5社は、2030年に e-methane を各社都市ガス需要の1％相当量を導入（3社計：1億8000万 m^3）するという目標に向けて、アメリ

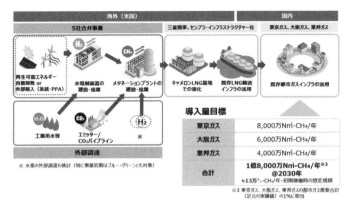

図3：米国 e-methane 商用化検討における既存サプライチェーンの活用
（出典：東京ガス）

カ・テキサス州・ルイジアナ州において e-methane を製造、既存 LNG サプライチェーンを活用した e-methane の液化、日本向け輸送の実現に向けた商用化プロジェクトを推進している（図3）。

　本プロジェクトは、21年8月の三菱商事と当社の2社間での基本合意書締結によりスタートした。e-methane の製造適地選定・事業可能性調査を経て、アメリカ、特にテキサス州・ルイジアナ州を有望エリアと選定した。その後、業界を挙げての取り組みに拡大するため、大阪ガス、東邦ガスに声掛けし、22年9月に4社とのコーソシアムを組成、23年8月に米センプラを招聘し、現行体制での検討に至っている。なお、当該エリアには、三菱商事が液化権利を保有する LNG 液化設備（キャメロン LNG）があり、当設備の有効活用が可能となる。

　24年3月末現在、25年度の投資意思決定、30年の商用化実現に向けて検討を加速している。

（商用化検討プロジェクト事例②）　マレーシア LNG 基地近傍での e-methane 商用化検討

　当社は、LNG 液化基地や CO_2 などの資源を保有しているマレーシアの国営石油会社 Petroliam Nasional Berhad（Petronas）、資源事業の実績・ノウハウを持つ住友商事とともに、マレーシアのビンツル LNG 近傍において e-methane を合成し、日本に導入するサプライチェーンの商用化に向けた事業性評価を実施している。

　特に既存の LNG 基地近傍を中心に、液化プラント・出荷設備などの隣接地を予定している。既存設備を活用でき、CO_2 源に近いため、ブラウンフィール

ドに近い地域で e-methane プロジェクト開発を進められる点が特徴だ。

再生可能エネルギーの取扱量拡大

電力分野では太陽光・バイオマスに加え、洋上風力の大規模化・低コスト化に向けた取り組みを推進し、政府と連携しながら早期にカーボンニュートラルの実現を目指している。

中期経営計画では、市場ポテンシャルの大きい浮体式洋上風力の「早期社会実装に向けた取組み加速」を掲げ、特に力を入れて取り組んでいる。具体的な取り組みとして、アメリカのスタートアップ企業であるプリンシプル・パワー社（以下、PPI 社）に出資（2020年）し、欧州で既に大型風車への採用実績もある PPI 社保有のウインドフロート技術の開発・普及を推進するとともに、日本国内での実証に向けても着実に準備を進めている。22年には NEDO が公募した GI 基金事業に採択され、ウインドフロート技術を日本の気象・海象条件に適用させる設計や、量産化手法の確立・低コスト施工技術の開発などの研究を行うとともに、福島沖での浮体式洋上風力発電事業での適用を検討している（図4）。また、イギリス・オクトパスエナジー社が設立した洋上風力投資ファンドにコーナーストーン投資家として出資を決めた。グローバルな再生エネルギー電源の普及拡大への寄与と知見・ノウハウの獲得を進めて行く。

海外では、東京ガスアメリカ社が、米国の再生可能エネルギー開発企業へカテエナジー社が推進していた大規模太陽光発電事業（アクティナ）を取得し、21年以降、段階的に商業運転を開始している。このプロジェクトは、建設から運転開始後の事業運営までを東京ガスグループ主導で手掛ける初めての海外太陽光発電事業である。

これらの取り組みにより、東京ガスの再生可能エネルギー取扱量を30年までに600万 kw まで拡大させる目標を掲げている（23年3月末で163万 kw）。

図4：PPI 社のウインドフロート技術の活用事例
（ポルトガル WindFloat Atlantic）
　　　　　（出典：プリンシプル・パワー社）

おわりに

　当社が手掛ける e-methane は、国内エネルギー需要の大半を占める熱分野のカーボンニュートラル化の手段として有効であるだけでなく、既存のLNG・都市ガスインフラや消費機器がそのまま活用できるため、追加的な社会的コストの抑制の両立が可能となる。

　また、政府のクリーンエネルギー戦略の議論においても、2050年カーボンニュートラルは、国内外のビジネス環境、国内外各産業の市場規模を踏まえて、カーボンニュートラル化する手段の需給バランスや競争関係・補完関係の変化を見極めることが重要だとされており、目まぐるしい環境変化・技術革新に対応することが求められる。

　そのため、当社はこれまでお話した具体的事例のほかにも、さまざまな取り組みを進めている。CNL を活用したカーボンニュートラル都市ガスの需要家数は約120件（23年 4 月末）に上り、CNL の普及を通じて、お客さま先のCO$_2$削減に貢献している。

　また、千葉県袖ヶ浦市における LNG 火力発電事業に関する投資を決定している。本発電所は、水素混焼が可能な最新鋭の高効率ガスタービンコンバインドサイクル発電を導入することで首都圏の電力安定供給に貢献していくと共に、ガスタービンの改造により水素専焼も可能とするなど、次世代化・高効率化および脱炭素型火力への置き換え双方の側面で重要な役割を果たしていくと考えている。

　これらの取り組みを通じて、当社グループは、カーボンニュートラルへの責任あるトランジションをリードしていく。

東京ガス株式会社（東京瓦斯株式会社）

所 在 地 ▌〒105-8527　東京都港区海岸1-5-20
　（本社）

代 表 者 ▌取締役会長　内田　高史

　　　　　　取締役代表執行役社長　笹山　晋一

設 　　 立 ▌1885（明治18）年10月 1 日

資 本 金 ▌1418億円

従業員数 ▌3060名（単体）、 1 万5963名（連結）（2023年 3 月31日現在）

日産自動車株式会社

日産ならではの包括的アプローチで「単なる移動手段」ではない価値を提供しクルマのEV化を推進する

　気候変動や社会問題などが深刻化する中、クルマを使用する顧客の意識も変化している。そこで日産自動車（以下、日産）は、これらの変化に対応し、顧客や社会から真に必要とされる企業となるべく、2021年に長期ビジョン「Nissan Ambition 2030」を策定した。目指すのは、よりクリーンで、より安全で、よりインクルーシブな世界。その軸となるクルマの電動化戦略を推進するため、バッテリー技術の進化、次世代のクルマづくり、EVエコシステムの構築など、日産ならではの包括的なアプローチでカーボンニュートラルの実現に向けて取り組んでいる。

　平井俊弘専務は次のように語る。「50年にカーボンニュートラルを目指すために必要な技術開発、製品開発、導入計画など、ロードマップを描いています。また自動車業界全体としては、製造過程のCO_2排出量削減や、役目を終えたクルマをリユース・リサイクルするための技術開発を進めながら、いかにその技術を社会に実装していくかが課題になっています。この課題に対して、より具体性を高めて取り組んでいくことが重要で、ただクルマを電動化すればいいというものではありません」

クルマの楽しみをあきらめない「EVの走りの価値向上」

　同時に、顧客に対して、いかにEV車の付加価値を高めるか！にも取り組んでいる。顧客の要望に応えるため、日産は2030年度までに15車種のEVを含む23車種の電動車を導入する目標を立てている。その達成のため、まずは26年度までにEVとe-POWER搭載車を合わせて20車種を導入するという。

「e-POWER というハイブリッドシステムと、ゼロエミッションバッテリーEV。この二つにしっかり重心をおいていきます。e-POWER とバッテリーEV は、技術的にはかなり共用性が高く、例えばモーターやインバーターといった主要なパワートレインの部品は共用できます。この販売数をどんどん増やしてコストを下げることが普及の条件になります」（平井氏）

　ただ、内燃機関を環境負荷の少ないものに変えていくことによって、従来イメージされる「クルマの楽しさ」が損なわれるのではないかという自動車業界ならではの課題もある。それでも平井専務は、「EV や e-Power といったモーターで100% 駆動する電動車には、クルマのそういった付加価値を高める可能性が十分にあります」と自信を示す。コンパクトカーの「ノートe-Power」は走りのクオリティが高く、小型車のセグメントでありながら、２クラス上の高級車に匹敵するという。「力強くなめらかな走りや、路面を問わない安心感、乗り心地などを磨くことが、EV の普及に大きく貢献します。まだ、こういうところに力を入れている自動車メーカーは多くないのでは」

　同時に、クルマの「潜在的ストレスゼロ」も目指す。何十年も続いているばかりに、顧客も「当たり前」と考えてしまっている車両の揺れや不要な音は、実は潜在的なストレスになっている。日産は、ドライバーが気付いてい

日産自動車株式会社　専務執行役員
アライアンス SVP　パワートレイン・EV　技術開発本部
平井　俊弘（ひらい　としひろ）
1960年９月生まれ、東京都出身。早稲田大学理工学部卒業。1984年日産自動車株式会社入社。2001年ルノーとの初のコモンエンジン開発担当を経て、10年セレナ、エクストレイル、インフィニティ等の車両プログラムダイレクター、14年常務執行役員、パワートレイン開発本部担当、18年常務執行役員、パワートレイン & EV 技術開発本部担当、20年専務執行役員（現職）、パワートレイン & EV 技術開発本部担当、21年株式会社エンビジョンAESC ジャパン社外取締役（現職）。

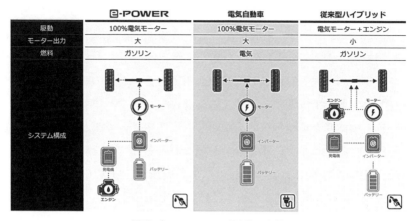

電動パワートレイン形式の比較

（出典：日産自動車）

ないストレスにまで踏み込んで、「振動ゼロ」、「運転の煩雑さゼロ」で、新幹線のような静かな走りを体現することができると考えているという。例えば、クルマが加速・減速する瞬間の頭部の揺れや視線角度の変化などを小さくすることによって、圧倒的に快適な乗り心地を実現する。「EV だからこそ、これまでとは違うモビリティを作ることに注力しています。その一つの例が、さらなる EV の走りの価値向上なのです」と平井専務は語る。

エネルギーマネジメントというクルマの新しい活用方法

　クルマは、移動手段としての在り方の面でも、今後ますます大きく変わることが予測される。しかも、都市部と地方部での実情の乖離は大きい。都市部では、都市空間の有効活用や都市の動きとクルマのデータのスマートな連携、移動効率アップなどの方策を考えていく必要が出てくる。そこで日産では現在、横浜みなとみらいでビジネスバン「NV200」を用い、自動運転と AI を使用した都市型 MaaS（Mobility as a Service）の実証実験を行っている。

　対して「地方型 MaaS といえると思う」と平井専務が語るのが、2022年6月から福島県浪江町で実証実験を行っているオンライン配車サービス「な

みえスマートモビリティ」だ。「過疎化が進む傾向にある地方部で、まちの魅力向上に、いかにモビリティを貢献させていくかが重要になる」という。地方部では、移動方法の中心はクルマだが、そういった場所にこそ、ドライバーの高齢化問題や運営コスト・投資をミニマムにしなければならない状況がある。「だからこそ自動運転の導入が欠かせない」とオンデマンドで呼べる乗り合いサービスを開始した。これによって、外出先がある程度決まっている住民がクルマを運転する機会を減らすことが可能になる。

　また浪江町においては、地域のエネルギーマネジメントもEVを通じて行っている。クルマのバッテリーは災害時の「携帯電源」となることも期待されるが、同様に蓄電池として利用することで、太陽光発電や風力発電のエネルギーの不安定な電力供給を平準化して、顧客に提供することができる。これはEV車による社会課題解決を目指す「ブルー・スイッチ」のアクションの一つとして電力会社と協業して開発を進めている。浪江町の公用車である「リーフ」をエネルギー貯蔵庫として活用。発電していない時間帯にはバッテリーに貯まった電気を供給することで、浪江町全体のエネルギーを完全に再生可能エネルギーにしようという計画だ。既に、このV2X（あらゆるものをクルマとつなぐこと）によって、5台のEVで電力需要のピークカットが可能なことを実証している。

　これらの事業の集大成となるのが「日産が創るカーボンニュートラル社会」だ。モビリティとエネルギーを統合マネジメントすることで、クリーンエネルギーの効率的な地産地消を目指していくという。

　このようにEVに付加価値を付けていくことが普及の鍵となるが、もう一つ大きなテーマがある。それを平井専務は「自動車業界としてしっかり取り組まなければいけないのは、『いかにバッテリーを必要十分な製品としての条件を確保できるか？』です。コストも含めて、いかに需要と供給のバランスが取れるものにするが重要なテーマになります」としている。現在、全固体電池の開発は進んでいるが、まだ主役は液体リチウムイオン電池だ。その製造には、急激な需要拡大にともなうコスト急騰、材料の逼迫、環境問題、地政学的問題と、多くの問題がつきまとう。「2030年頃までは、バッテリー

■ モビリティとエネルギーを統合マネジメントし、効率的なエネルギー地産地消を目指す

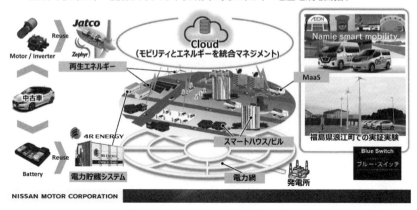

日産が創るカーボンニュートラル会社

（出典：日産自動車）

をいかに安定供給するかが自動車業界全体にとっての一つのポイントになるだろう」「自動車業界とバッテリー業界がタッグを組んでいくことが、電動化の普及、ひいてはカーボンニュートラルの実現に向けての大きな課題になります。一方で全固体電池の開発を進めることで、資源問題、コスト問題、地政学的問題を解決するゲームチェンジャーとなり得るのです」と平井専務は語る。カーボンニュートラル実現に向けて、全固体電池の開発が大きな課題の一つになりそうだ。

バッテリーを新しい価値付け「リパーパス」で循環させる

　浪江市の例で見たように、蓄電池としても有用性の高い EV のバッテリー。平井専務は「これからはバッテリー循環社会になる」と展望を語る。例えば「リーフ」のバッテリーは初代を発売した頃にはそれほど寿命が長くはなかったが、２代目になるとクルマの耐用年数と同等か、それ以上となった。使い方次第では15年から20年の耐用年数があり、そうなれば、クルマが役目を終えた後もバッテリーだけを使用することができる。このバッテリーを、フォーアールエナジー社との協業によって、次の用途に利用するという。新たな存在価値を生む「リパーパス」と呼び、鉄道の踏切の保安装置な

どに使用している。

　リパーパスのため、浪江町に再生工場を作り、実践を始めているが、これには電池のどの部分が劣化しているかを見極める SOH（State of Health）推定技術が必要で、見極めがうまくいかないとリパーパスができない。日産は「リーフ」発売から10年以上の経験があるため、この技術でも先行している。またバッテリーは、急速充電を繰り返すと劣化が早くなるなど、使用方法によって劣化のレベルが大きく異なるという。その劣化度合いによって工場のエネルギー貯蔵に使うか、フォークリフトに使うかなど、次の利用方法が変わってくる。「劣化が少ない場合には、再度クルマに使うことも可能です。もう一度クルマに使える場合、新たなバッテリーを作る必要がなくなるので、CO_2 削減には非常に有効だといえます」（平井氏）

　また、すでにクルマでの役目を終えたバッテリーだけではなく、現在まだクルマに搭載されているバッテリーに関しても、それぞれのクルマがどういう走り方をしているかを日産では把握しており、大まかに分かっているという。「つまり、どのバッテリーがどの程度劣化しているかを推定できるため、リパーパスの段階に至った際にも素早く対応ができるのです」と平井専務。このように日産は、オンボードでモニタリングしながら次の利用価値を決めていく技術を確立してきている。

　リパーパスの技術に加え、希少価値のあるニッケルやコバルトをリサイクルする技術もかなり進んでいるという。リサイクルといっても原材料まで戻して再利用するのではなく、CO_2 を排出する焼成を行った電極は生かしてリサイクルする。これによって、焼成の段階で発生する CO_2 排出を 1 回分に留めることができる。このように、バッテリー周りだけを見ても「ストレージとしての利用」、「リパーパス」、「リサイクル」と、さまざまな方法で CO_2 を削減する技術チャレンジが行われている。

　今後の課題は、いかにビジネスとして循環させるかだ。EU では規制を導入し、域内での蓄電池のリサイクルを義務付ける。一方で、資源国ではない日本では、国内でいかに回していくかが重要だ。循環を停滞させないためには、都市鉱山をいかに活用していくかというチャレンジになる。

■踏切のバックアップ電源として、リーパーパスバッテリを採用

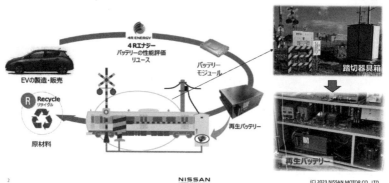

バッテリーパーパス実証実験

（出典：日産自動車）

　「お客さまにお渡ししたクルマはずっと CO_2 を出し続けるので、自動車会社には、『それをいかに新しいものに変えてもらうか』、『使っているものをどう再利用してもらうか』に力を注ぐ責任があります。もちろん、現在乗っているクルマをどう電動に変えていってもらうかという課題もあります。クルマのライフサイクル全体で CO_2 を削減するためには、技術のブレイクスルーは必ず必要で、これはビジネスチャンスですし、いろいろな意味で産業を活性化させたい。『使ったものをどうするか』という業界は、一昔前は花形ではありませんでしたが、今は花形です。これは大きなビジネスチャンスになるので、そういったものを日本だけでなく世界展開していきたいと考えています」（平井氏）

EV普及の鍵は「必要なもの」だと認識されること

　多くの実践を行っている日産だが、2030年に向けて、まだまだ課題は山積している。液体リチウム電池をどう整備するか、全固体電池にどう対応していくか、カーボンニュートラルに向けて電動化への基盤をどう作るか。さらに、変化の激しい時代にあって、30年だけを見るのではなく、同時に40年、

50年、さらにその先に向けて、自社の「存在意義は何なのか」を明確にしていかなければならない。

　これについて平井専務は以下のように語る。「社会に必要なものであると認知してもらうこと。モビリティだけではないクルマの役割を具体化して実証していくことで、将来も必要なものであると発信する。そういう展望を持ち、社会にも『必要なもの』と認識してもらうことが大事です。これまでは比較的短期的、あるいは中期的な見通しができましたが、産業界のかたち自体が変わってきている中、自らも変わることが求められています。これからは、電力事業者とも協業するようになるなど、これまでよりずっと幅広いパートナーと仕事をしていく必要がありますし、サプライチェーンも大きく変わってくる。30年も見据えつつ、一方で、変化に対してどれだけ先を見ながら備えるか。展望を具現化させるためのグランドデザインをしっかり作ることが大事です」

　日産は「Nissan Ambition 2030」で掲げているように、EV の使い勝手を大幅に向上させる全固体電池の開発を進めている。期待される安全面だけでなく、航続距離や充電時間も大きく向上させる計画だ。エネルギー密度が上がることで、バッテリーが小型化、薄型化し、大型車両の EV 化が可能になるという。しかも、これまでなかった車両レイアウトや運動性能をもたせることも可能だ。まさに「クルマの楽しさを犠牲にしない」EV 化によって、カーボンニュートラルを推し進めていくことが期待できそうだ。

日産自動車株式会社（Nissan Motor Co., Ltd.）

所 在 地 ▌（本店）〒220-8623 神奈川県横浜市神奈川区宝町２番地
　　　　　（本社）〒220-8686 神奈川県横浜市西区高島一丁目１番１号
代 表 者 ▌代表執行役 社長兼最高経営責任者　内田　誠
設　　立 ▌1933（昭和８）年12月26日
資 本 金 ▌6058億1300万円
従業員数 ▌２万3525名（単独）、13万1719名（連結）（2023年９月30日現在）

座談会

「住宅からカーボンニュートラルを考える」

株式会社 LIXIL
執行役専務
吉田　聡

早稲田大学教授
森本　英香

国土交通省住宅局長
石坂　聡

積水ハウス株式会社
常務執行役員
上木　宏平

国土交通省住宅局長
石坂　聡（いしざか　さとし）
1967年生まれ、東京都出身。東京大学工学部都市工学
科卒業後、89年建設省入省。兵庫県庁、都市局、道路
局、与野市役所（現・さいたま市）、厚生労働省など
を経て、2002年から国土交通省。17年住宅局安全居住
推進課長、18年住宅局総合整備課長、19年市街地建築課
長、20年住宅生産課長、21年大臣官房審議官（住宅）、
23年7月より現職。

森本　2020年に菅前総理がカーボンニュートラル宣言をして以降、各業界ともにカーボンニュートラルに向けて取り組んでいただいていますが、25年度からの省エネ基準適合全面義務化やホールライフカーボン（Whole Life Carbon）に関する議論の急速な進展など、生活者の視点での制度化あるいは技術の進展という面で、非常に目覚ましいのが住宅、建築物の分野だと思っています。そこで、国土交通省住宅局長・石坂　聡氏、積水ハウス株式会社常務執行役員・上木　宏平氏、株式会社 LIXIL 執行役専務・吉田　聡氏をお迎えして、「住宅からカーボンニュートラルを考える」というテーマで座談会を企画しました。最初に50年のカーボンニュートラルに向けて、国土交通省でどんなことが進められているかについて教えていただけますか。

石坂　50年カーボンニュートラル実現というわが国全体の目標に対しまして、住宅・建築物分野においては、50年にストック平均で ZEH（ネット・ゼロ・エネルギー・ハウスの略／ゼッチと呼称）・ZEB（ネット・ゼロ・エネルギー・ビルの略／ゼブと呼称）水準を確保していく方針です。そのために、30年以降の新築物件について、ZEH・ZEB 水準を確保するというのが目標として掲げられています。ちなみに ZEH とは、年間の一次エネルギー消費の収支を、高効率・高断熱の省エネ技術と太陽光発電などの創エネ技術によってゼロにすることを目指した建物で、住宅を対象にしています。一方、ZEB は、大型のビルや工場、学校などの非住宅建築物を対象にしています。

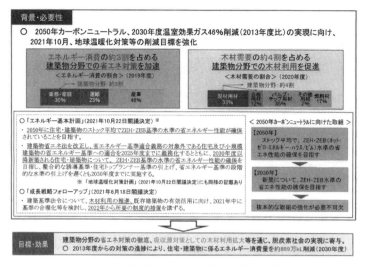

改定建築物省エネ法の背景と目標・効果
（出典：国土交通省）

　こうした政府目標に従い22年に建築物省エネ法を改正して、2025年4月の施行（予定）として、全ての建築物・住宅の新築・増改築に対して、省エネ基準適合を義務付けることを決定しました。

森本　さらに、その後の展開として、30年までに省エネ基準をZEH・ZEB水準に引き上げるというわけですね。

石坂　その通りです。一方、既存ストック、すなわち中古住宅もたくさんあり、断熱性能については非常に低い、裸断熱と呼ばれるものもまだ多々残っています。50年目標に向けて、既存住宅にも手を入れていかなければならないという課題もありますので、省エネ性能表示制度を、今年4月からまずは新築を対象にスタートすることにしています。同制度は、住宅・建築物が取り引きされる際に、省エネ性能住宅が高く評価されることを狙いにしています。まずは新築を対象としてスタートしますが、今後、既存住宅についても、順次取り入れていきたいと考えています。

業界全体を通じてカーボンニュートラルに全力

森本　今の石坂局長の説明を伺うと、住宅からカーボンニュートラルを実

積水ハウス株式会社常務執行役員
技術管理本部長
上木 宏平（じょうき こうへい）

1960年生まれ、兵庫県出身。神戸大学工学部環境計画学科卒業後、83年積水ハウス株式会社入社。2016年設計部長 兼 大阪設計室長、18年執行役員 設計部長 兼 大阪設計室長、19年執行役員 建築事業開発部長、20年執行役員 技術本部長、21年4月 常務執行役員 技術本部長、21年10月より現職。

現していくために、一般住宅の場合、省エネ性能住宅、ZEHを普及させていくということでしたが、住宅メーカー、資材メーカーのお立場で、カーボンニュートラルに対し、どのように取り組んでおられるのかご説明いただけますか。

上木 われわれ住宅業界は、まずは、オイルショックを機に断熱性能を高めるというところからスタートしました。当社の場合、京都議定書が採択された1997年から、もう少し幅広い視点で環境を捉えていこうと、断熱性の高い住宅の開発に加えて、シート防水の寿命を10年から20年に長くしたり、外部塗装にフッ素塗装を取り入れたり、住宅自体の長寿命化に取り組み始めました。また、住宅を長くもたせるという視点だけでなくて、中古市場の活性化という意味で、2008年からスムストック制度も推進しています。さらに、生物多様性の保全という視点から、環境に対してアプローチしていこうと01年から「5本の樹」計画を進めています。同計画は、完成した住宅の庭に鳥や蝶などが来るように、日本の在来種を中心に植えるというものです。

森本 もう20年以上経ちましたから、かなりの量の樹木を住宅地に植えることができたのではありませんか。

上木 はい。これまでに累計1900万本が植栽されています。（23年1月末現在）その流れで06年から実施したのが、里山をまちの中につくろうというプロジェクトです。当社は、大阪市の真ん中の梅田スカイビルに本社がありますが、同敷地内に「新・里山」をつくりました。そこにビオトープ（自然な水辺空間）や、カブトムシなど昆虫が住めるような環境（雑木林）

をつくり、さらに里山の要素で
ある田んぼや畑などもつくりま
した。そこに、近隣の小学5年
生に毎年来てもらって、農業体
験を通じて環境教育に役立てて
もらっています。一般的な田植
えの学習は、秋の稲刈りだけを
行う場合が多いのですが、この

積水ハウス本社敷地内につくられた「新・里山」
（出典：積水ハウス）

取り組みは、年5回、田植えから草刈りなどの手入れ、稲刈り、脱穀をし
て食べるところまでの食育を含めた、生物多様性の保全を絡めながら実施
している学習になります。

　また、住宅に使用する建材に関しても、木材産地を明確にし、持続可能
性などへのリスクがないものを調達する「フェアウッド」調達を推進して
います。これは、日本のみならず、海外から調達する木材に関しても運用
しています。

森本　一方、積水ハウスなど、住宅メーカーに資材を供給されている
LIXIL の吉田執行役員にもカーボンニュートラルに向けた活動について
説明いただけますか。

吉田　私どもは、元請けの建築会社から求められるものをいかに建材とし
て提供できるかという点がとても大事だと考えています。

　住宅を使っているときに発生するオペレーショナルカーボン、例えば当
社が担当している窓の場合、断熱性能を高めるとエネルギーの使用量が減
るということもありますし、実は、太陽の光も含めた自然の光を有効に使
えるというメリットがあります。冬場などは、日射の熱を積極的に取り入
れることによって、電気ストーブ三台相当分のエネルギーを太陽から取り
入れられるわけです。23年からは、断熱性能と日射熱の取得をきちんと選
択いただけるように、サッシ業界全体で、窓の性能表示を表記するように
なりました。

　エンボディード・カーボンという視点で、メーカーとしてカーボンをで

株式会社 LIXIL 執行役専務
吉田　聡（よしだ　さとし）

1963年生まれ、東京都出身。86年トーヨーサッシ株式会社（現株式会社 LIXIL）入社。2011年株式会社 LIXIL 執行役員マーケティング本部商品統括部長、13年上席執行役員営業企画統括部長、15年常務執行役員ジャパンマーケティング本部長、16年専務役員ジャパンマーケティング本部長、17年専務役員 LIXILHousingTechnology(LHT)JapanChiefExecutiveOfficer、18年取締役専務役員、19年取締役執行役専務 LIXILHousingTechnology(LHT)Japan 担当、20年より現職。

きるだけ少なく、製品をつくっていくという視点はもちろん大切なので、素材そのものをいかにローカーボンのものを使うかということにも注力しています。そういった意味では、今、さまざまな低炭素の素材を使った製品を、いかに住宅メーカーの皆さんに提供できるかということを、一生懸命やっているというのが実態だと言えるでしょう。

住宅がどのように、カーボンニュートラルに貢献できるのか

森本　今、両社にお話いただいた通り、住宅メーカーも資材メーカーもカーボンニュートラルに向けて熱心に進めていただいていることが確認できました。同時に、住宅という性格上、そこに住む住民の皆さんの視点を取り入れたり、あるいは地域に貢献すると、よりパワーアップして、さらにサステナブルに進んでいけるのではないかと思います。そういった意味

開口部の断熱性能向上と一緒に考えたい
冬の「日射熱活用」で
さらに省エネ

窓から上手に日差しを採り込むことで、住まいはより快適になります。冬は低い位置から南面に日差しが入ってくるため、南面に大きな窓を設ければ、効果的に暖房負荷を軽減できます。

例えば約10㎡の窓の面積を約20㎡まで大きくすると約3,000W分の熱量を得ることが可能に。一般的な電気ストーブが1,000W程度なので、約3台分に相当します。

大きな窓を選ぶ
一般的な掃き出し窓の高さは2mですが、天井の高さ（2.4m）まで窓を大きくすることで、より部屋の奥まで日差しを採り入れることが可能。窓からの日射熱 取得率も高まり、暖房効率の向上にもつながります。

冬の日射熱活用は省エネにつながる
窓開口部の面積をアップさせると電気ストーブ3台分の
暖かさが UP するという。

（出典：LIXIL）

で、生活者の目線で、住宅のカーボンニュートラルが魅力的になるのかについて議論していきましょう。

石坂 省エネ化、カーボンニュートラル化というのは、どうしても、地球温暖化対策の文脈で語られることが非常に多いわけですけれども、それだけで消費者、つまり住民の皆さんにつながるかというと、なかなかそうはなっていないところにこの問題の本質があるような気がします。

森本 その通りですね。一番分かりやすいのは、光熱費の削減という指標がありますが、それだけでも十分ではありませんね。

石坂 一方で、あまり知られていないこともあるということを皆さんに知っていただきたいというのが、私どもが思っているところなのです。

　例えば、われわれ世代の日本の住宅は、ずっと無断熱で来たわけです。つまり、高断熱住宅に住んだ記憶は、ほとんどないんですね。従って、高断熱住宅に住んだらどんな生活が待っているかということを実感として想像できない。ですから、われわれのような現役世代が改修して、リフォームして、断熱化しましょうという動きにつながっていかないという事情があると思います。

森本 なるほど。

石坂 一方、今、高齢化社会が進んでいますので、断熱性、省エネ性が高い住宅は、人の健康とか活動量に極めて大きな相関性があるということをもっと訴求すべきでしょう。

森本 詳しく教えてください。

石坂 実は、国土交通省では、10年以上前から省エネ・高断熱住宅と健康の関係を、厚生労働省や医師と一緒に調査研究を進めています。例えば18度以上の部屋に住んでいた場合、活動量が通常よりも１日当たり最大50分増加するといったことが、データとしてしっかりと出てきています。暖かい部屋で過ごすと、ヒートショックや高血圧がおさまるなど、明快に健康との相関性が出ていますので、そういった結果をしっかりと国民の皆さんにお知らせすることが重要だと考えています。そこをしっかりと皆さんに啓発していくというのが、ある意味地道なんですけど、大切だと思っています。

早稲田大学教授
森本　英香（もりもと　ひでか）
1957年生まれ、大阪府出身。東京大学法学部卒業後81年環境庁に入り、2001年環境省環境管理局大気生活環境室長、02年環境大臣秘書官、03年米国 East West Center 客員研究員、内閣官房内閣参事官、05年環境省大臣官房廃棄物・リサイクル部企画課長、06年総合環境政策局環境保健部企画課長、08年大臣官房総務課長、09年秘書課長、10年大臣官房審議官、10年9月国際連合大学（日本国）、11年環境省大臣官房審議官、11年内閣官房内閣審議官・原子力安全規制組織改革準備室長、12年原子力規制庁次長、14年環境省大臣官房長、17年環境事務次官、20年より現職。

森本　本当に、寒いと、こたつでじっとしているイメージですよね（笑）。

上木　確かに最近、「省エネ住宅、すなわち断熱性の高い家に住むと健康になる」ということは、エビデンスがたくさん出てきています。予防医学の観点からも健康に暮らしていけるということをお客さまにきちんと説明していくことが必要だと思いますね。

吉田　日本の場合、省エネ住宅に住んだ経験がない人たちが大多数なので、少し余計にお金を出して高くても住みたいという人は少数派になってしまうわけですね。そういった意味では、もう少し、一般の皆さんには、経済的な価値を訴求することも大切だと思います。

森本　ご指摘の通りですが、何か具体的な事例はありますか。

吉田　2023年に当社は、近畿大学と一緒に、室内の温熱環境を改善することによって、エネルギーコストはもちろん、医療費がどれぐらい削減できるのかを試算して、学会発表しました。その結果、約30年住むと仮定しますと、光熱費はもちろん、医療費つまりランニングコストがかなり削減できることがデータで提示できるようになっています。

森本　それは素晴らしい。国や業界自体がこうしたエビデンスを積み重ねて、光熱費や医療費などのランニングコストの削減効果を「見える化」させることにより、住民目線で住宅のカーボンニュートラルが進むように、ぜひお願いしたいと思います。

省エネリフォームを実施した居住者の健康への影響を調査
調査：国土交通省スマートウェルネス住宅等推進調査事業（2014年度〜）
（出典：（一社）日本サステナブル建築協会）

昭和 55 年基準住宅における内窓改修の医療費期待値
と暖冷房費の削減額は、50 歳夫婦と 18 歳、15 歳の
子供 2 人を想定すると、30 年で 98 万円となった。

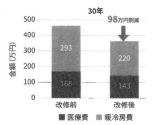

LIXIL が近畿大学と共に研究した「住宅内温熱環境と住居者の健康に
関する研究」の結果概要

（出典：LIXIL）

住宅のカーボンニュートラルがもたらす地域経済の活性化

森本　次に、省エネ、カーボンニュートラル対策による地域経済の活性化という観点から、タウンマネジメントについても議論してみましょう。この点について、積水ハウスの上木執行役員、いかがでしょうか。

上木　2009年から始まった「再生可能エネルギーの固定価格買取制度」が10年を満了し、卒FITという形でFITの期間が切れる住宅が19年から出始めています。そこで当社は、「積水ハウスオーナーでんき」という仕組みをつくって、直接そうしたお客さまに対し、余剰の電力を買い取って、事業に使っていくサイクルを展開しています。

森本　それは面白いですね。

上木　愛知県豊橋市に当社の分譲地がありますが、そこは全て太陽光発電がついています。その中には、われわれのオフィスがあるのですが、そこで「積水ハウスオーナーでんき」でお客さまから買い取った電力を使って社用車も積極的にEVに替えて、つまり積水ハウスのオーナーの皆さんの太陽光を使って、回していく仕組みを構築しています。この事例は、小さな実験場と言えなくもないですが、もう少し規模が広がってくると、大き

積水ハウスオーナーでんきの仕組み
卒FITを迎えた積水ハウスのオーナーから太陽光発電の余剰電力を買い取り、同社グループの事業用電力として活用している。

（出典：積水ハウス）

なタウンマネジメントも可能になってきます。あるいは災害時の電力確保や交通手段の確保、エネルギーの確保にもつながっていくということで…。こうした個々の住宅の電気を集めて、地域ごとにうまく回していく仕組みも、タウンマネジメントの一例として推進したいと考えています。

森本　石坂局長、この点に関し、国はどのようにお考えでしょうか。

石坂　先ほども触れましたが、省エネ性能自体が市場でもっと評価される必要があると思います。そうでなければ、住んでいる人も敢えて「リフォームして省エネ性能にしよう」という行動に移らないでしょう。リフォームすることで、家の価値が高まるという流れに持っていかないと、どうしても省エネ、特に膨大なストックに対する対策としては不十分だと感じています。そういう意味でも、24年4月から始まる省エネ住宅性能表示制度の役割は大きいと見ています。

森本　先ほど、既存住宅を対象にリフォームにも制度を広げていくというお話でしたね。

石坂　はい。既存住宅に広げていく予定です。例えば、窓の改修をした場合は、改修したことが分かるような表示というのが切り口の一つかなと考えています。もちろん、新築と同じレベルの断熱性とか、エネルギー消費性能などが分かるということも考え方としては重要なんですが、仮に実施するとなるとものすごい労力がかかるでしょう。従って、現実的な方法論として、まずは、皆さんの分かりやすい部分、例えば、排出量に応じた表示など少し幅広にして、市場に定着させたいと思います。

　あるいは、逆に、省エネ性が市場で評価されれば、勝手にグルグルと回っていくかもしれません。その点については、民間企業の皆さんがしっかり頑張ってくれていると思いますので、われわれとしては、そうしたインフラをしっかり整備していく必要があると認識しています。

森本　既存住宅のリフォームまでを視野に入れて、まずは新築の建物から省エネ性能表示ということですね。では、民間企業2社の皆さんに、この表示制度に対する期待を伺いたいと思います。

吉田　省エネ性能表示制度のスタートについては、イニシャルコストの高

い高性能の住宅を普及させていくという意味で、エンジンとして機能するのではないかと期待をしています。例えば、家電を買おうと思った場合に、売り場で、もちろん値段もあるんですけど、省エネ性能のようなスペックを見ながら、トータルで選んでいくということは、誰しも経験されていると思います。こういったことがぜひ住宅でも広がっていくことを願っています。

　また、カーボンニュートラルを50年に実現しようとすると、新築だけではなくて、既存ストックの性能をいかに上げていくかという視点も大きな課題です。同制度がストックにも移行されるということで、より推進されていくことを期待しています。先進的窓リノベ事業では、23年に国から補助金をいただいたことで、窓の改修が一気に進みました。

森本　なるほど。実際にリフォームされた皆さんの評判は、いかがでしょうか。

吉田　「今まで知らなかったが、内窓をつけたらとても暖かくなった」「エネルギーコストもかなり下がった」など、やってみたらすごくよかったという声を頂戴しています。

森本　やはり、皆さん、リフォームの効果は、実感できているんですね。

吉田　われわれとしては、より多くの方に体感していただき、今は入り口の窓の改修だけなんですが、部屋ごとの断熱改修だったり、住宅一棟まるごとの断熱改修に、制度も含めてどんどん広げていくことが、結局カーボンニュートラルの実現につながるのではないかと思います。また、地域という面でリフォームを考えますと、地場の大工さんや工務店などの役割も大変大きいと思います。この制度は、こうした幅広い皆さんに、影響をもたらすような気がします。

石坂　確かに、リフォームするときに、当然、つくってもらったメーカーに相談するという場合もあるでしょうが、近くの工務店に相談するというケースも非常に多いはずです。従って、地場の大工さんたちにしっかりと省エネリフォームに対応できる技術を持っていただくという視点も重要になると思います。

森本　大工さんたちにとっても断熱改修は難しい技術なのでしょうか。

石坂　そうですね。窓などの改修も施工は難しいですし、断熱材を入れる作業になると、さらに難しいと言われています。実際、高性能の断熱材を入れても、隙間が開いていたら期待した効果はえられません。従って、地場の工務店の育成、技術力向上についても国で取り組んでいる大きなテーマです。

森本　そうした技術を持った工務店に担ってもらうことで、地域経済の活性化にもつながる、と。

石坂　そうです。自然災害対策の上でも、自治体では耐震化などのリフォームの支援を積極的に実施されているケースがよくあります。その上で、さらに健康とか、ライフサイクルカーボンなどの文脈をうまく味付けすると、もう少しリフォームが、自治体にとっても身近な施策になっていくのではないでしょうか。

森本　確かに、リフォームに健康の視点が入れて普及するというのは魅力的です。

上木　地方に行くと高齢者の方が多いですからね。アピールポイントになるでしょうね。

「環境にいかに配慮しているか」を情報として表示していく

森本　では、少し専門的な話題になりますが、欧米を中心に議論が進んでいるホールライフカーボンやライフサイクルカーボンアセスメント（LCA）についても議論していきたいと思います。LCA とは、商品・サービスの原材料調達から、製造・使用・廃棄に至るまでのライフサイクル全体を通して、CO_2 排出量や環境への負荷を定量的に算出する手法を意味しますが、今後の企業や製品・サービスには「環境にいかに配慮しているか」を情報として、LCA を使って、分かりやすく表示する手法が求められつつあるとされています。

石坂　日本の建築物がしっかりと、建設プロセスも含めて評価されていくためには LCA についての議論は避けて通れないと思っています。

国土交通省は、2022年に官民連携プラットフォームとして「ゼロカーボ

ン推進会議」を立ち上げ、現在のわが国のLCA算定手法の構築を図っています。この結果を踏まえて、どのように制度化していくべきか、これは非常に関係省庁も多いので、現段階から関係省庁との話し合いを始めています。

森本　なるほど。非常にアクティブで、前向きな印象を持ちました。やはり、急速にLCAの必要性がどんどん増してくることになりますと、素材を担当しているLIXILの吉田執行役員に期待するところも多いんですが、いかがでしょうか。

吉田　私ども、グローバルで事業を進めていることもありまして、建築物を建てるときに、

　先進的な欧米の企業からは、「LCA評価をするので、数値を出してください」という要請をかなりいただいているというのが実情です。最近では、国内の企業からも、「LCA評価のデータを提供してほしいという要請をかなりの割合で、いただいています。恐らくこの動きは、これからも広がっていくでしょう。

森本　国際的に見ても、建物・住宅分野でのCO_2排出量は多いので、建設部門のCO_2排出量を「見える化」して、削減していく動きは広がっていくでしょう。こうした流れに沿うと、先ほど石坂局長がご指摘された通り、LCAの議論は不可避になります。

吉田　具体的に窓の場合、素材がアルミと樹脂と言われているPVC、それから木になりますが、アルミは地金を精錬するときに、原料のボーキサイトからとても大きなエネルギーを使用するので、必然的にCO_2の量も多くなります。一方でアルミは、何回でもリサイクルできるという利点があります。ですから、例えばリサイクル率を100%のリサイクル材にしますと、材料由来のCO_2は97%ぐらい減るということなので、今後は、リサイクル率をどれぐらい上げていけるかということがとても重要だと考えています。

　当社では、グローバル全体で、長年、このリサイクル率に取り組んできたので、昨年は、平均で74%ぐらいのリサイクル実績を達成しています。中でも、「この製品は必ず70%以上のリサイクル率です」とか「この製品

は100％をクリアしています」という表示を、第三者認証をつけて、「プレミアル」という名称で「プレミアル R70」、「プレミアル R100」という製品を出して、高い評価をいただいています。

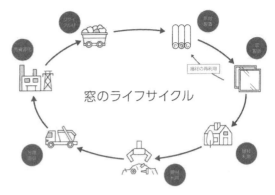

窓のライフサイクル

窓の製造から廃棄、リサイクルまでのライフサイクルのスキーム　　　　　　　（出典：LIXIL）

森本　樹脂サッシの方は、いかがですか。

吉田　樹脂サッシの場合は、まだまだ普及し始めてきたばかりということもあり、リサイクルの技術もさることながら、どう回収して、どう循環させていくかというエコシステムの構築が課題になるでしょう。これから本格的に普及して、家が古くなって、壊して、また戻して、サッシ to サッシで戻ってくるまで、30年くらい先になるんじゃないかと見ています。

石坂　ホールライフカーボンの評価については、世の中に必要なものだと認識しています。ただ、これは非常に大きな変革をもたらす可能性があるツールだと思っていまして、今まではコストという軸と、デザイン・新機能という軸で、モノがつくられてきたわけですが、CO_2排出量という軸を新たに考慮する必要がでてくるかもしれないとすると、恐らくわが国の生産体制の考え方自体が、建物の設計も含めて変わってくる可能性があると考えています。

森本　海外勢、特に欧米が非常に LCA の考え方とか、データも含めて、イニシアチブを取ろうとしていますので、日本としてもぜひこの流れに遅れないようにしていただきたいと思います。

賃貸住宅にも、ZEH を進めていく発想

森本　今回の座談会では、「住宅からカーボンニュートラルを考える」というテーマで、さまざまな角度から議論を進めてきました。皆さんの説明

を伺ってみても、カーボンニュートラルに対する動きは、まさに国を挙げて、また業界を挙げて取り組んでいただいています。

　では、住宅を買う側、つまり住民の皆さんがカーボンニュートラルに向けてさまざまな手段を選択して取り組んでもらうという視点についても議論してみたいと思います。

　既に省エネ・カーボンニュートラルについては、健康や、豊かな生活あるいは地域経済に資するものとして考えられますし、LCA などそうした取り組みに対する「見える化」も進められています。その上で、一般の方々の理解をさらに増進して、省エネ・カーボンニュートラルに資する住宅が選択されていくには、どんなことが必要だと思われますか。

石坂　これは非常に大きなテーマですが、やはり地球環境問題の温暖化の流れだけでは、恐らく無理で、本当に身近なことを積み重ねるしかないと感じています。

　例えば、先ほど話題に上った健康というキーワードがあります。健康は非常に幅広いんですが、一方で断熱リフォームするには非常にお金がかかる。窓だけリフォームしても本当に効果があるんですけれども、なかなかその1歩目が踏み出してもらえない。そこを、どう打破するかと。「全部やらなくても、1部屋だけでもいいんですよ」とか、もう少し1歩目を軽くするようなことも考えていかなきゃいけないと改めて認識しました。

　また、レジリエンスという観点も、省エネ住宅は、可能性があると感じました。先ほど、積水ハウスの上木執行役員が説明された太陽光の地域利用という、タウンマネジメントとしての活用も有効かもしれません。

　そうした中で、やはり、地方自治体の役割は非常に大きいと言えますね。ある意味、自治体が一番地元の住民の方、市民の方の状況を分かっているわけですから、その方々にもしっかりと、省エネ住宅について理解いただくとともに、しっかりと、翻訳して前向きに進めていただくような政策をとり得るように、国としても政策を示していきたいと思います。

上木　私は、賃貸住宅などに注力しても面白いのではないかと感じました。例えば、省エネタイプの賃貸住宅に住み、その良さを体験した若い人

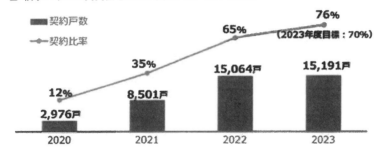

■ 積水ハウスの賃貸住宅のZEH契約戸数・比率の推移

・各数値の算定期間は各年2月から翌年1月

賃貸住宅の ZEH 化
積水ハウスは賃貸住宅でも ZEH を展開。各住戸で太陽光発電を利用できる入居者売電方式を推進している。

（出典：積水ハウス）

たちは、自分たちが一戸建てを建てるとき、買うときには恐らく省エネ住宅を選ぶはずです。そういう意味では、賃貸住宅もしっかり省エネ住宅をつくっていく必要があるのではないでしょうか。

石坂　今は、「住宅すごろく」という言葉はあまり言わないですけど、人の一生をすごろくになぞって、例えば独身次代、最初はワンルームマンションに住んで、次に結婚してファミリー向けの賃貸に住んで、次は子どもも生まれて一戸建て住宅を、子どもが独立して高齢者になると、分譲マンションを買ってという流れになるわけですね。そういう意味では、確かにファーストステップのワンルームマンションを省エネ住宅でという視点は重要ですね。

上木　その通りです。賃貸住宅の ZEH 化もを進めていく、というのは重要だと思います。

森本　なるほど。こうしたところに、表示をして意識を高めていければよいですね。皆さん、本当にありがとうございました。

第6章 付録

脱炭素成長型経済構造への円滑な移行のための低炭素等の供給及び利用の促進に関する法律案

目次

　第一章　総則

（目的）

第一条　この法律は、世界的規模でエネルギーの脱炭素化に向けた取組等
　が進められる中で、我が国における低炭素水素等の供給及び利用を早期
　に促進するため、低炭素水素等の供給及び利用の促進に関する基本方針
　の策定、低炭素水素等供給等事業に関する計画の認定等の措置を講ずる
　ことにより、エネルギーの安定的かつ低廉な供給を確保しつつ、脱炭素
　成長型経済構造（脱炭素成長型経済構造への円滑な移行の推進に関する
　法律（令和五年法律第三十二号）第二条第一項に規定する脱炭素成長型
　経済構造をいう。第三条第二項第二号ロ及びハ並びに附則第二条第二項
　において同じ。）への円滑な移行を図り、もって国民生活の向上及び国
　民経済の健全な発展に寄与することを目的とする。

　（定義）

第二条　この法律において「低炭素水素等」とは、水素等（水素及びその

化合物であって経済産業省令で定めるものをいう。以下同じ。）であっ
て、その製造に伴って排出される二酸化炭素の量が一定の値以下である
こと、二酸化炭素の排出量の算定に関する国際的な決定に照らしてその
利用が我が国における二酸化炭素の排出量の削減に寄与すると認められ
ることその他の経済産業省令で定める要件に該当するものをいう。

2　この法律において「低炭素水素等供給事業」とは、低炭素水素等の供
給（国内で製造し、又は輸入して供給することをいう。以下同じ。）及
びこれに伴う低炭素水素等の貯蔵又は輸送を行う事業をいう。

3　この法律において「低炭素水素等利用事業」とは、エネルギー又は原
材料としての低炭素水素等の利用（道路運送車両法（昭和二十六年法律
第百八十五号）第二条第二項に規定する自動車又は同条第三項に規定す
る原動機付自転車に充塡することを含む。以下同じ。）及びこれに伴う
低炭素水素等の貯蔵又は輸送を行う事業をいう。

4　この法律において「低炭素水素等供給等事業」とは、低炭素水素等供
給事業又は低炭素水素等利用事業をいう。

　　第二章　基本方針等

（基本方針）

第三条　主務大臣は、低炭素水素等の供給及び利用の促進に関する基本的
な方針（以下「基本方針」という。）を定めるものとする。

2　基本方針においては、次に掲げる事項を定めるものとする。

　一　低炭素水素等の供給及び利用の促進の意義及び目標に関する事項

　二　低炭素水素等の供給及び利用の促進に関する次に掲げる事項

　　イ　低炭素水素等の利用を特に促進すべき事業分野に関する事項

　　ロ　エネルギーの安定的かつ低廉な供給を確保しつつ脱炭素成長型経
　　　済構造への円滑な移行を図るために重点的に実施すべき低炭素水素
　　　等供給等事業の内容及び実施方法に関する事項

　　ハ　低炭素水素等供給等事業により得た知見を活用して行う脱炭素成
　　　長型経済構造への円滑な移行に資する取組に関する事項

　　ニ　低炭素水素等の供給及び利用の促進のための方策に関する事項

　三　低炭素水素等供給等事業の用に供する施設の適正な整備その他の低炭素水素等の供給及び利用の促進に際し配慮すべき重要事項

3　主務大臣は、経済事情の変動その他の情勢の推移により必要が生じたときは、基本方針を変更するものとする。

4　主務大臣は、基本方針を定め、又はこれを変更するときは、あらかじめ、環境大臣その他関係行政機関の長（当該行政機関が合議制の機関である場合にあっては、当該行政機関。第七条第八項において同じ。）に協議するものとする。

5　主務大臣は、基本方針を定め、又はこれを変更したときは、遅滞なく、これを公表するものとする。

（国の責務）

第四条　国は、基本方針に即して、低炭素水素等の供給及び利用の促進に関する施策を総合的かつ効果的に推進する責務を有する。

2　国は、事業者による低炭素水素等の供給及び利用の促進のための取組が積極的に行われるよう、規制の見直しその他の必要な事業環境の整備及び事業者に対する支援措置を講ずるよう努めるものとする。

（関係地方公共団体の責務）

第五条　低炭素水素等の供給又は利用に関係する地方公共団体は、前条第一項に規定する国の施策に協力して、低炭素水素等の供給及び利用の促進に関する施策を推進するよう努めるものとする。

（事業者の責務）

第六条　水素等の供給又は利用を行う事業者は、基本方針の定めるところに留意して、低炭素水素等の供給又は利用に伴う安全を確保しつつ、低炭素水素等の供給又は利用の促進に資する投資その他の事業活動を積極的に行うよう努めるものとする。

2　事業者は、国又は関係地方公共団体が実施する低炭素水素等の供給及び利用の促進に関する施策に協力するよう努めるものとする。

　　第三章　低炭素水素等供給等事業計画の認定

（計画の認定）

第七条　低炭素水素等供給事業を行い、若しくは行おうとする者（以下「低炭素水素等供給事業者」という。）又は低炭素水素等利用事業を行い、若しくは行おうとする者（以下「低炭素水素等利用事業者」という。）は、単独で又は共同して、低炭素水素等供給等事業に関する計画（以下「低炭素水素等供給等事業計画」という。）を作成し、主務省令で定めるところにより、主務大臣に提出して、その認定を受けることができる。

2　低炭素水素等供給等事業計画には、次に掲げる事項を記載しなければならない。

一　低炭素水素等供給等事業の目標

二　低炭素水素等供給等事業の内容及び実施期間

三　低炭素水素等供給等事業の実施体制

四　低炭素水素等供給等事業を行うために必要な資金の額及びその調達方法

五　第十条（第一号に係る部分に限る。）の規定による助成金の交付を受けようとする場合にあっては、その旨

六　低炭素水素等供給等事業の用に供する施設の規模及び場所に関する事項その他の主務省令で定める事項

七　前各号に掲げるもののほか、低炭素水素等供給等事業に関し必要な事項

3　低炭素水素等供給等事業計画には、第一項の認定を受けようとする低炭素水素等供給事業者又は低炭素水素等利用事業者以外の者が行い、又は行おうとする低炭素水素等の貯蔵、輸送又は販売（以下「貯蔵等」という。）に関する次に掲げる事項を含めることができる。

一　低炭素水素等の貯蔵等の内容及び実施期間

二　低炭素水素等の貯蔵等の実施体制

三　低炭素水素等の貯蔵等を行うために必要な資金の額及びその調達方法

四　当該者が行う低炭素水素等の貯蔵等の用に供する施設の規模及び場

所に関する事項その他の主務省令で定める事項

五　前各号に掲げるもののほか、当該者が行う低炭素水素等の貯蔵等に関し必要な事項

4　第二項第二号若しくは第六号又は前項第一号若しくは第四号に掲げる事項には、低炭素水素等供給事業者若しくは低炭素水素等利用事業者が行う低炭素水素等供給等事業又は同項に規定する者が行う低炭素水素等の貯蔵等に係る次に掲げる事項を記載することができる。

一　港湾法（昭和二十五年法律第二百十八号）第三十七条第一項の許可を要する行為に関する事項

二　港湾法第三十八条の二第一項又は第四項の規定による届出を要する行為に関する事項

5　主務大臣は、第一項の認定の申請があった場合において、当該申請に係る低炭素水素等供給等事業計画が次の各号のいずれにも適合するものであると認めるときは、その認定をすることができる。

一　当該低炭素水素等供給等事業計画の内容が基本方針及び第三十二条第一項に規定する判断の基準となるべき事項に照らして適切なものであること。

二　当該低炭素水素等供給等事業計画に係る低炭素水素等供給等事業が円滑かつ確実に実施されると見込まれるものであること。

三　当該低炭素水素等供給等事業計画に第三項に規定する事項が含まれている場合にあっては、同項に規定する者が行う低炭素水素等の貯蔵等が円滑かつ確実に実施されると見込まれるものであること。

四　当該低炭素水素等供給等事業計画の内容が経済的かつ合理的であり、かつ、我が国全体における低炭素水素等の供給又は利用の促進に資するものその他の我が国における低炭素水素等の供給又は利用に関係する産業の国際競争力の強化に相当程度寄与するものであると認められること。

五　当該低炭素水素等供給等事業計画に第二項第五号に掲げる事項が記載されている場合にあっては、次のいずれにも適合するものであるこ

と。

ロ　当該低炭素水素等供給等事業計画が低炭素水素等供給事業者及び低炭素水素等利用事業者が共同して作成したものであること。

ロ　当該低炭素水素等供給等事業計画に従って行う低炭素水素等供給事業者による低炭素水素等の供給が、低炭素水素等の供給及び利用の促進の目標を勘案して経済産業大臣が定める年度までに開始され、かつ、経済産業省令で定める期間以上継続的に行われると見込まれるものであること。

ハ　当該低炭素水素等供給等事業計画に従って供給が行われる低炭素水素等の利用を行うための新たな設備投資その他の事業活動が低炭素水素等利用事業者により行われると見込まれるものであること。

六　当該低炭素水素等供給等事業計画に従って供給等施設（第二項第六号に規定する施設及び第三項第四号に規定する施設をいう。以下同じ。）を整備しようとする場合にあっては、当該供給等施設を整備する港湾（港湾法の規定による港湾をいう。第四十二条第二項において同じ。）、道路（道路法（昭和二十七年法律第百八十号）第二条第一項に規定する道路をいう。以下同じ。）その他の場所が港湾法第三条の三第一項に規定する港湾計画、道路の事情その他の土地の利用の状況に照らして適切なものであること。

6　主務大臣は、第一項の認定の申請に係る低炭素水素等供給等事業計画に第二項第五号に掲げる事項が記載されている場合において、第一項の認定をするときは、あらかじめ、財務大臣に協議しなければならない。

7　主務大臣は、第一項の認定の申請に係る低炭素水素等供給等事業計画に第四項各号に掲げる事項が記載されている場合において、第一項の認定をするときは、あらかじめ、当該事項について港湾法第二条第一項に規定する港湾管理者に協議し、その同意を得なければならない。

8　主務大臣は、第一項の認定に当たり必要があると認めるときは、あらかじめ、関係行政機関の長に協議することができる。

9　主務大臣は、第一項の認定をしたときは、主務省令で定めるところに

より、当該認定に係る低炭素水素等供給等事業計画の概要を公表するものとする。

10　主務大臣は、第二項第五号に掲げる事項が記載された低炭素水素等供給等事業計画について第一項の認定をしたときは、遅滞なく、その旨及び当該低炭素水素等供給等事業計画に記載された事項を独立行政法人エネルギー・金属鉱物資源機構（次条第六項及び第十条において「機構」という。）に通知するものとする。

（計画の変更等）

第八条　前条第一項の認定を受けた者は、当該認定に係る低炭素水素等供給等事業計画を変更するときは、あらかじめ、主務省令で定めるところにより、主務大臣の認定を受けなければならない。ただし、主務省令で定める軽微な変更については、この限りでない。

2　前条第一項の認定を受けた者は、前項ただし書の主務省令で定める軽微な変更をしたときは、遅滞なく、その旨を主務大臣に届け出なければならない。

3　主務大臣は、前条第一項の認定を受けた者が当該認定に係る低炭素水素等供給等事業計画（第一項の規定による変更の認定又は前項の規定による変更の届出があったときは、その変更後のもの。以下「認定供給等事業計画」という。）に従って低炭素水素等供給等事業を実施していないと認めるとき、又は認定供給等事業計画に同条第三項に規定する事項が含まれている場合において同項に規定する者が当該認定供給等事業計画に従って低炭素水素等の貯蔵等を実施していないと認めるときは、当該認定を取り消すことができる。

4　主務大臣は、認定供給等事業計画が前条第五項各号のいずれかに適合しないものとなったと認めるときは、同条第一項の認定を受けた者に対して、当該認定供給等事業計画の変更を指示し、又は当該認定を取り消すことができる。

5　主務大臣は、前二項の規定により前条第一項の認定を取り消したときは、その旨を公表するものとする。

6　主務大臣は、前条第十項の規定による通知に係る低炭素水素等供給等事業計画の認定を第三項又は第四項の規定により取り消したときは、遅滞なく、その旨を機構に通知するものとする。

7　前条第五項から第十項までの規定は、第一項の規定による変更の認定について準用する。

（地位の承継）

第九条　次に掲げる者は、主務省令で定めるところにより、主務大臣の承認を受けて、認定供給等事業計画に係る低炭素水素等供給事業者又は低炭素水素等利用事業者の地位を承継することができる。

一　当該低炭素水素等供給事業者又は低炭素水素等利用事業者の一般承継人

二　当該低炭素水素等供給事業者又は低炭素水素等利用事業者から、認定供給等事業計画に従って設置及び維持管理が行われ、又は行われた供給等施設の所有権その他認定供給等事業計画に従って行う事業の実施に必要な権原を取得した者

　　第四章　認定供給等事業計画に係る支援措置

　　　第一節　独立行政法人エネルギー・金属鉱物資源機構の業務

第十条　機構は、低炭素水素等の供給及び利用を促進するため、次の業務を行う。

一　次に掲げる資金に充てるための助成金を交付すること。

　　イ　第七条第一項の認定を受けた低炭素水素等供給事業者が認定供給等事業計画に従って継続的に低炭素水素等の供給を行うために必要な資金

　　ロ　認定供給等事業者（認定供給等事業計画に係る低炭素水素等供給事業者、低炭素水素等利用事業者又は第七条第三項に規定する者をいう。以下同じ。）が共同して使用する供給等施設であって、認定供給等事業計画に従って供給が行われる低炭素水素等の貯蔵又は輸送の用に供する施設その他の認定供給等事業計画の実施に必要な施設の整備に必要な資金

　　二　前号の業務に附帯する業務を行うこと。

　　　第二節　港湾法の特例

第十一条　第七条第四項第一号に掲げる事項が記載された低炭素水素等供
　給等事業計画が同条第一項又は第八条第一項の認定を受けたときは、当
　該認定の日に当該事項に係る認定供給等事業者に対する港湾法第三十七
　条第一項の許可があったものとみなす。

2　港湾法第三十八条の二第一項及び第四項の規定は、認定供給等事業者
　が第七条第四項第二号に掲げる事項が記載された認定供給等事業計画に
　従って同号に規定する行為をする場合については、適用しない。

　　　第三節　高圧ガス保安法の特例

（製造の承認）

第十二条　認定供給等事業計画に従って高圧低炭素水素等ガス（低炭素水
　素等である高圧ガス保安法（昭和二十六年法律第二百四号）第二条に規
　定する高圧ガスをいう。以下同じ。）の製造（容器に充塡することを含
　む。以下この節及び第七章において同じ。）をしようとする認定供給等
　事業者であって同法第五条第一項第一号に該当するものは、事業所ごと
　に、経済産業大臣の承認を受けることができる。

2　次の各号のいずれかに該当する者は、前項の承認を受けることができ
　ない。

　　一　第二十三条第二項の規定により前項又は第十七条第一項の承認を取
　　　り消され、取消しの日から二年を経過しない者

　　二　この法律（この節、第三十七条第二項及び第三十八条第一項の規定
　　　に限る。以下この号において同じ。）又はこの法律に基づく命令の規
　　　定に違反し、罰金以上の刑に処せられ、その執行を終わり、又は執行
　　　を受けることがなくなった日から二年を経過しない者

　　三　心身の故障により高圧低炭素水素等ガスの製造を適正に行うことが
　　　できない者として経済産業省令で定める者

　　四　法人であって、その業務を行う役員のうちに前三号のいずれかに該
　　　当する者があるもの

　　五　高圧ガス保安法第七条第一号、第二号又は第六号（同条第一号及び
　　　第二号に係る部分に限る。）に該当する者

3　経済産業大臣は、第一項の承認に係る製造（製造に係る貯蔵及び導管
　による輸送を含む。第二十五条第一項及び第四十九条第二号を除き、以
　下この節及び第七章において同じ。）の申請が高圧ガス保安法第八条各
　号のいずれにも適合していると認めるときは、当該承認をするものとす
　る。

（製造の承認の地位の承継）

第十三条　前条第一項の承認を受けた者（以下「承認製造者」という。）
　について、その特定製造期間（当該承認の日から当該承認に係る高圧低
　炭素水素等ガスの製造を開始した日以後三年を経過した日の前日までの
　期間をいう。以下同じ。）において、相続、合併又は分割（当該承認製
　造者のその承認に係る事業所を承継させるものに限る。）があった場合
　において、相続人（相続人が二人以上ある場合において、その全員の同
　意により承継すべき相続人を選定したときは、その者）、合併後存続し、
　若しくは合併により設立された法人又は分割によりその事業所を承継し
　た法人であって、認定供給等事業者であるものは、承認製造者の地位を
　承継する。

2　前項の規定により承認製造者の地位を承継した者は、遅滞なく、その
　事実を証する書面を添えて、その旨を経済産業大臣に届け出なければな
　らない。

（製造の変更の承認）

第十四条　承認製造者は、その特定製造期間において、認定供給等事業計
　画に従って、当該承認に係る高圧低炭素水素等ガスの製造のための施設
　の位置、構造若しくは設備の変更の工事（高圧ガス保安法第十四条第一
　項ただし書の軽微な変更の工事を除く。）をし、又は製造をする高圧低
　炭素水素等ガスの種類若しくは製造の方法を変更しようとするときは、
　経済産業大臣の承認を受けなければならない。

2　承認製造者は、その特定製造期間において、高圧ガス保安法第十四条

第一項ただし書の軽微な変更の工事をしたときは、その完成後遅滞なく、その旨を経済産業大臣に届け出なければならない。

3　第十二条第三項の規定は、第一項の承認について準用する。

（製造の開始等の届出）

第十五条　承認製造者は、当該承認に係る高圧低炭素水素等ガスの製造を開始し、又はその特定製造期間において当該製造を廃止したときは、遅滞なく、その旨を経済産業大臣に届け出なければならない。

（承認製造者等に関する高圧ガス保安法の準用）

第十六条　高圧ガス保安法第十一条、第二十六条、第二十七条第一項から第三項まで及び第五項、第二十七条の二第一項（第二号を除く。）、第二項及び第三項から第七項まで（同条第一項第一号に係る部分に限る。）、第二十七条の三、第三十二条第九項及び第十項、第三十三条第一項（同号に係る部分に限る。）、第二項及び第三項、第三十四条（同号に係る部分に限る。）、第三十五条並びに第六十条第一項の規定は特定製造期間における承認製造者について、同法第二十条第一項、第二項並びに第四項及び第五項（同条第一項に係る部分に限る。）、第三十五条の二並びに第三十九条（第二号及び第三号を除く。）の規定は特定製造期間における承認製造者及び製造のための施設について、同法第二十条第三項並びに第四項及び第五項（同条第三項に係る部分に限る。）の規定は特定製造期間における変更承認製造者（第十四条第一項の承認を受けた者をいう。以下この項において同じ。）及び製造のための施設について、同法第二十条の二及び第二十条の三の規定は承認製造者又は変更承認製造者について、同法第三十七条の規定は特定製造期間における承認製造者及び第十二条第一項の承認に係る事業所について、それぞれ準用する。この場合において、これらの規定（同法第三十九条を除く。）中「都道府県知事」とあるのは「経済産業大臣」と読み替えるほか、次の表の上欄に掲げる同法の規定中同表の中欄に掲げる字句は、それぞれ同表の下欄に掲げる字句に読み替えるものとする。

第二十条第一項ただし書	経済産業大臣が指定する者（以下	高圧ガス保安法第二十条第一項ただし書に規定する指定完成検査機関（以下単に
第二十条第二項	第五条第一項の許可	水素等供給等促進法第十二条第一項の承認
第二十七条の二第三項	高圧ガス製造保安責任者免状（以下	高圧ガス保安法第二十七条の二第三項に規定する製造保安責任者免状（以下単に
第三十二条第九項	、保安企画推進員若しくは冷凍保安責任者若しくは販売主任者又は取扱主任者	又は保安企画推進員
第三十二条第十項	製造若しくは販売又は特定高圧ガスの消費に従事する者	製造に従事する者
	、保安主任者若しくは冷凍保安責任者若しくは販売主任者又は取扱主任者	又は保安主任者
	この法律若しくはこの法律	水素等供給等促進法（第四章第三節、第三十七条第二項及び第三十八条第一項の規定に限る。以下この項、次条第二項及び第三十四条において同じ。）若しくは水素等供給等

		促進法
第三十三条第一項	若しくは保安企画推進員又は冷凍保安責任者	又は保安企画推進員
	、保安主任者又は冷凍保安責任者	又は保安主任者
第三十三条第二項	この法律	水素等供給等促進法
第三十三条第三項	保安統括者又は冷凍保安責任者	保安統括者
第三十四条	、販売主任者若しくは取扱主任者がこの法律若しくはこの法律	が水素等供給等促進法若しくは水素等供給等促進法
	若しくはその代理者、販売主任者又は取扱主任者	又はその代理者
第三十五条第一項ただし書	経済産業大臣の指定する者（以下	高圧ガス保安法第三十五条第一項ただし書に規定する指定保安検査機関（以下単に
第六十条第一項	高圧ガス若しくは容器の製造、販売若しくは出納又は容器再検査若しくは附属品再検査	高圧ガスの製造

2　前項に規定するもののほか、必要な技術的読替えは、政令で定める。
　（貯蔵所の承認）

第十七条　認定供給等事業計画に従って高圧ガス保安法第十六条第一項（同条第三項の規定によりみなして適用する場合を含む。）に規定する容積以上の高圧低炭素水素等ガスを貯蔵するため貯蔵所を設置しようとする認定供給等事業者は、当該貯蔵所につき、経済産業大臣の承認を受けることができる。

2　経済産業大臣は、前項の承認の申請に係る貯蔵所の位置、構造及び設備が高圧ガス保安法第十六条第二項の技術上の基準に適合すると認めるときは、当該承認をするものとする。

（貯蔵所の承認の地位の承継）

第十八条　前条第一項の承認を受けて設置する貯蔵所（以下「承認貯蔵所」という。）について、当該承認貯蔵所に係る特定貯蔵期間（当該承認の日から当該承認貯蔵所において貯蔵を開始した日以後三年を経過した日の前日までの期間をいう。以下同じ。）において、譲渡又は引渡しがあったときは、譲渡又は引渡しを受けた者（認定供給等事業者であるものに限る。）は、当該承認貯蔵所に係る同項の承認を受けた者（以下「承認貯蔵者」という。）の地位を承継する。

2　前項の規定により承認貯蔵所に係る承認貯蔵者の地位を承継した者は、遅滞なく、その旨を経済産業大臣に届け出なければならない。

（貯蔵所の変更の承認）

第十九条　承認貯蔵所の所有者又は占有者は、当該承認貯蔵所に係る特定貯蔵期間において、認定供給等事業計画に従って、承認貯蔵所の位置、構造又は設備の変更の工事（高圧ガス保安法第十九条第一項ただし書の軽微な変更の工事を除く。）をしようとするときは、経済産業大臣の承認を受けなければならない。

2　承認貯蔵所の所有者又は占有者は、当該承認貯蔵所に係る特定貯蔵期間において、高圧ガス保安法第十九条第一項ただし書の軽微な変更の工事をしたときは、その完成後遅滞なく、その旨を経済産業大臣に届け出なければならない。

3　第十七条第二項の規定は、第一項の承認について準用する。

（貯蔵の開始等の届出）

第二十条　承認貯蔵所の所有者又は占有者は、当該承認貯蔵所における高圧低炭素水素等ガスの貯蔵を開始し、又は当該承認貯蔵所に係る特定貯蔵期間において承認貯蔵所の用途を廃止したときは、遅滞なく、その旨を経済産業大臣に届け出なければならない。

（承認貯蔵所の所有者又は占有者等に関する高圧ガス保安法の準用）

第二十一条　高圧ガス保安法第十五条第二項、第十八条第一項及び第三項、第二十七条第四項及び第五項、第三十七条、第三十九条（第二号及び第三号を除く。）並びに第六十条第一項の規定は特定貯蔵期間における承認貯蔵所及びその所有者又は占有者について、同法第二十条第一項並びに第四項及び第五項（同条第一項に係る部分に限る。）の規定は承認貯蔵者及び特定貯蔵期間における承認貯蔵所について、同条第三項並びに第四項及び第五項（同条第三項に係る部分に限る。）の規定は第十九条第一項の承認を受けた者及び特定貯蔵期間における承認貯蔵所について、それぞれ準用する。この場合において、これらの規定（同法第三十九条を除く。）中「都道府県知事」とあるのは「経済産業大臣」と、同法第二十条第一項ただし書中「経済産業大臣が指定する者（以下」とあるのは「高圧ガス保安法第二十条第一項ただし書に規定する指定完成検査機関（以下単に」と、同法第六十条第一項中「高圧ガス若しくは容器の製造、販売若しくは出納又は容器再検査若しくは附属品再検査」とあるのは「高圧ガスの出納」と読み替えるほか、必要な技術的読替えは、政令で定める。

（輸入検査の認定等）

第二十二条　認定供給等事業計画に従って高圧低炭素水素等ガスの輸入をした認定供給等事業者は、輸入をした高圧低炭素水素等ガス及びその容器について、その特定輸入期間（第七条第一項の認定の日から認定供給等事業計画に従って高圧低炭素水素等ガスの輸入を開始した日以後三年を経過した日の前日までの期間をいう。第三十七条第二項及び第三十八条第一項において同じ。）において、経済産業大臣が行う輸入検査を受

け、これらが輸入検査技術基準（高圧ガス保安法第二十二条第一項に規定する輸入検査技術基準をいう。第三項において同じ。）に適合していることにつき、経済産業大臣の認定を受けることができる。

2　前項の経済産業大臣が行う輸入検査の方法は、経済産業省令で定める。

3　経済産業大臣は、第一項の輸入検査に係る高圧低炭素水素等ガス又はその容器が輸入検査技術基準に適合していないと認めるときは、当該高圧低炭素水素等ガスの輸入をした認定供給等事業者に対し、当該高圧低炭素水素等ガス及びその容器の廃棄その他の必要な措置をとるべきことを命ずることができる。

（承認の取消し等）

第二十三条　経済産業大臣は、承認製造者が、正当な事由がなく、当該承認の日から一年以内に当該承認に係る高圧低炭素水素等ガスの製造を開始せず、又は一年以上引き続きその製造を休止したときは、当該承認を取り消すことができる。

2　経済産業大臣は、特定製造期間における承認製造者又は特定貯蔵期間における承認貯蔵所の所有者若しくは占有者が次の各号（承認貯蔵所の所有者又は占有者にあっては、第六号を除く。）のいずれかに該当するときは、第十二条第一項若しくは第十七条第一項の承認を取り消し、又は期間を定めてその高圧低炭素水素等ガスの製造若しくは貯蔵の停止を命ずることができる。

一　第十四条第一項又は第十九条第一項の規定により承認を受けなければならない事項を承認を受けないでしたとき。

二　第十六条第一項において準用する高圧ガス保安法第十一条第三項、第二十六条第二項若しくは第四項、第二十七条第二項、第三十四条若しくは第三十九条第一号又は第二十一条において準用する同法第十五条第二項、第十八条第三項若しくは第三十九条第一号の規定による命令に違反したとき。

三　第十六条第一項又は第二十一条において準用する高圧ガス保安法

（以下「準用高圧ガス保安法」という。）第二十条第一項又は第三項の完成検査を受けないで、高圧低炭素水素等ガスの製造のための施設又は承認貯蔵所を使用したとき。

四　第十六条第一項において準用する高圧ガス保安法第二十七条の二第一項、第三項、第四項若しくは第七項（第十六条第一項において準用する同法第二十七条の三第三項において準用する場合を含む。）又は第二十七条の三第一項若しくは第二項の規定に違反したとき。

五　第三十六条第一項の規定により付された条件に違反したとき。

六　第十二条第二項第二号から第五号までのいずれかに該当するに至ったとき。

（通知等）

第二十四条　経済産業大臣は、次に掲げる場合においては、遅滞なく、経済産業省令で定めるところにより、関係都道府県知事にその旨その他経済産業省令で定める事項を通知するものとする。

一　第十二条第一項、第十四条第一項、第十七条第一項又は第十九条第一項の承認をしたとき。

二　第十三条第二項、第十四条第二項、第十五条、準用高圧ガス保安法第二十条第一項ただし書若しくは第三項ただし書、第十六条第一項において準用する高圧ガス保安法第二十六条第一項、第二十七条の二第五項（第十六条第一項において準用する同法第三十三条第三項において準用する場合を含む。）若しくは第六項（第十六条第一項において準用する同法第二十七条の三第三項において準用する場合を含む。）若しくは第三十五条第一項ただし書、第十八条第二項、第十九条第二項又は第二十条の規定による届出を受理したとき。

三　第十六条第一項において準用する高圧ガス保安法第十一条第三項、第二十六条第二項若しくは第四項、第二十七条第二項若しくは第五項、第三十四条若しくは第三十九条第一号、第二十一条において準用する同法第十五条第二項、第十八条第三項、第二十七条第五項若しくは第三十九条第一号、第二十二条第三項又は前条第二項の規定による

命令又は勧告をしたとき。

四　準用高圧ガス保安法第二十条第一項若しくは第三項の完成検査をして高圧ガス保安法第八条第一号若しくは第十六条第二項の技術上の基準に適合していると認めたとき、第十六条第一項において準用する同法第三十五条第一項の保安検査をしたとき、又は第二十二条第一項の輸入検査をして同項の認定をしたとき。

五　前条の規定により第十二条第一項又は第十七条第一項の承認の取消しをしたとき。

2　都道府県知事は、前項（第一号（第十二条第一項及び第十七条第一項に係る部分に限る。）、第二号（第十五条及び第二十条に係る部分に限る。）及び第五号に係る部分に限る。）の規定による通知を受けたときは、経済産業省令で定めるところにより、その旨を都道府県公安委員会、消防長（消防本部を置かない市町村にあっては、市町村長）又は管区海上保安本部長に通報しなければならない。

（高圧ガス保安法の特例）

第二十五条　承認製造者は、高圧ガス保安法第五条第一項の規定にかかわらず、その特定製造期間において、同項の許可を受けないで、第十二条第一項の承認に係る高圧低炭素水素等ガスの製造を行うことができる。

2　特定製造期間における承認製造者についての高圧ガス保安法第十五条第一項、第十六条第一項、第十七条の二第一項、第二十条の四（第二号を除く。）、第二十条の五第一項及び第二十三条第三項の規定の適用については、当該承認製造者は、第一種製造者（同法第九条に規定する第一種製造者をいう。次項において同じ。）とみなす。この場合において、同法第十五条第一項ただし書、第十六条第一項ただし書、第十七条の二第一項ただし書及び第二十三条第三項ただし書中「第五条第一項の許可」とあるのは、「水素等供給等促進法第十二条第一項の承認」とする。

3　第十二条第一項の承認に係る高圧低炭素水素等ガスの製造を開始した日から二年を経過した日以後特定製造期間を経過した日の前日までの間における承認製造者についての高圧ガス保安法第三十九条の二及び第三

十九条の四第二項の規定の適用については、当該承認製造者は、第一種製造者とみなす。この場合において、同法第三十九条の二中「第五条第一項の許可」とあるのは「水素等供給等促進法第十二条第一項の承認」と、同項中「第十条第一項」とあるのは「水素等供給等促進法第十三条第一項」と、「第二十一条第一項」とあるのは「水素等供給等促進法第十五条」とする。

4　承認製造者は、その特定製造期間を経過した日において、高圧ガス保安法第五条第一項の許可を受けたものとみなして、同法の規定を適用する。この場合において、当該承認製造者が第十四条第一項の承認を受けていたときは、同日において同法第十四条第一項の許可を受けたものと、第十四条第二項又は第十五条の規定による届出をしていたときは、同日において同法第十四条第二項又は第二十一条第一項の規定による届出をしたものと、第十六条第一項において準用する同法第二十条第一項又は第三項の完成検査を受けて同法第八条第一号の技術上の基準に適合していると認められていたときは、同日において同法第二十条第一項又は第三項の完成検査を受けて当該基準に適合していると認められたものと、第十六条第一項において準用する同法第二十条第一項ただし書若しくは第三項ただし書、第二十六条第一項、第二十七条の二第五項（第十六条第一項において準用する同法第三十三条第三項において準用する場合を含む。）若しくは第六項（第十六条第一項において準用する同法第二十七条の三第三項において準用する場合を含む。）又は第三十五条第一項ただし書の規定による届出をしていたときは、同日において同法第二十条第一項ただし書若しくは第三項ただし書、第二十六条第一項、第二十七条の二第五項（同法第三十三条第三項において準用する場合を含む。）若しくは第六項（同法第二十七条の三第三項において準用する場合を含む。）又は第三十五条第一項ただし書の規定による届出をしたものとみなす。

5　前項の場合における高圧ガス保安法第三十四条、第三十八条第一項第一号及び第七十六条第二項の規定の適用については、同法第三十四条中

「この法律若しくはこの法律」とあるのは「この法律若しくは水素等供給等促進法（第四章第三節、第三十七条第二項及び第三十八条第一項の規定に限る。）若しくはこれらの法律」と、同号及び同項中「第三十四条」とあるのは「第三十四条（水素等供給等促進法第二十五条第五項の規定により読み替えて適用する場合を含む。）」とする。

6　承認製造者は、その特定製造期間において、第三項の規定により読み替えて適用する高圧ガス保安法第三十九条の二の規定により認定を受けたときは、当該承認製造者は、当該認定を受けた日において、その特定製造期間を経過したものとみなして、第四項の規定を適用する。

7　承認貯蔵所の所有者又は占有者は、高圧ガス保安法第十六条第一項の規定にかかわらず、当該承認貯蔵所に係る特定貯蔵期間において、同項の許可を受けないで、承認貯蔵所において第十七条第一項の承認に係る高圧低炭素水素等ガスの貯蔵を行うことができる。

8　承認貯蔵所は、当該承認貯蔵所に係る特定貯蔵期間を経過した日以後においては、高圧ガス保安法第十六条第一項に規定する第一種貯蔵所と、承認貯蔵者は、同日において、同項の許可を受けたものとみなして、同法の規定を適用する。この場合において、当該承認貯蔵所の所有者又は占有者が第十九条第一項の承認を受けていたときは、同日において同法第十九条第一項の許可を受けたものと、第十九条第二項又は第二十条（承認貯蔵所の用途を廃止したときに係る部分に限る。）の規定による届出をしていたときは、同日において同法第十九条第二項又は第二十一条第四項の規定による届出をしたものと、第二十一条において準用する同法第二十条第三項の完成検査を受けて同法第十六条第二項の技術上の基準に適合していると認められていたときは、同日において同法第二十条第三項の完成検査を受けて当該基準に適合していると認められたものと、第二十一条において準用する同法第二十条第三項ただし書の規定による届出をしていたときは、同日において同法第二十条第三項ただし書の規定による届出をしたものとみなし、当該承認貯蔵者が第二十一条において準用する同法第二十条第一項の完成検査を受けて同法第十六

条第二項の技術上の基準に適合していると認められていたときは、同日において同法第二十条第一項の完成検査を受けて当該基準に適合していると認められたものと、第二十一条において準用する同法第二十条第一項ただし書の規定による届出をしていたときは、同日において同法第二十条第一項ただし書の規定による届出をしたものとみなす。

9　第二十二条第一項の認定を受けた者は、高圧ガス保安法第二十二条第一項の規定にかかわらず、輸入をした高圧低炭素水素等ガス及びその容器を移動することができる。

（完成検査等に関する高圧ガス保安法の適用）

第二十六条　指定完成検査機関（高圧ガス保安法第二十条第一項ただし書に規定する指定完成検査機関をいう。次項において同じ。）は、同条第一項ただし書又は第三項ただし書の完成検査のほか、準用高圧ガス保安法第二十条第一項ただし書又は第三項ただし書の完成検査を行うことができる。

2　前項の規定により指定完成検査機関が準用高圧ガス保安法第二十条第一項ただし書又は第三項ただし書の完成検査を行う場合には、次の表の上欄に掲げる高圧ガス保安法の規定中同表の中欄に掲げる字句は、それぞれ同表の下欄に掲げる字句とするほか、必要な技術的読替えは、政令で定める。

| 第五十八条の二十一第一項 | 完成検査を行うべき | 完成検査（水素等供給等促進法第十六条第一項又は第二十一条において準用する第二十条第一項ただし書又は第三項ただし書の完成検査を含む。以下この節、第六十条第二項及び第七十四条の二第一項第五号において同じ。）を行うべき |
| 第五十八条の二十七 | 若しくはこの法律 | 若しくは水素等供給等促進法（第四章第三節、第三十七条第二項及び第 |

		三十八条第一項の規定に限る。）若しくはこれらの法律
第五十八条の三十第一号	この節	この節（水素等供給等促進法第二十六条第二項の規定により読み替えて適用する場合を含む。）
	第二十条第四項	第二十条第四項（水素等供給等促進法第十六条第一項又は第二十一条において準用する場合を含む。）
第五十八条の三十第四号	第五十八条の二十七	第五十八条の二十七（水素等供給等促進法第二十六条第二項の規定により読み替えて適用する場合を含む。）
第七十四条の二第一項第五号及び第七十六条第一項	場合	場合並びに水素等供給等促進法第二十六条第二項の規定により読み替えて適用する場合
第七十六条第二項	第五十九条において準用する場合	第五十九条において準用する場合並びに水素等供給等促進法第二十六条第二項の規定により読み替えて適用する場合
第八十条の二	場合を	場合並びに水素等供給等促進法第二十六条第二項の規定により読み替えて適用する場合を

3　指定保安検査機関（高圧ガス保安法第三十五条第一項ただし書に規定する指定保安検査機関をいう。次項において同じ。）は、同条第一項ただし書の保安検査のほか、第十六条第一項において準用する同法第三十五条第一項ただし書の保安検査を行うことができる。

4　前項の規定により指定保安検査機関が第十六条第一項において準用す

る高圧ガス保安法第三十五条第一項ただし書の保安検査を行う場合には、次の表の上欄に掲げる同法の規定中同表の中欄に掲げる字句は、それぞれ同表の下欄に掲げる字句とするほか、必要な技術的読替えは、政令で定める。

第五十八条の三十の三第二項において読み替えて準用する第五十八条の二十一第一項	保安検査を行うべき	保安検査（水素等供給等促進法第十六条第一項において準用する第三十五条第一項ただし書の保安検査を含む。以下この節、第六十条第二項及び第七十四条の二第一項第五号において同じ。）を行うべき
第五十八条の三十の三第二項において準用する第五十八条の二十七	若しくはこの法律	若しくは水素等供給等促進法（第四章第三節、第三十七条第二項及び第三十八条第一項の規定に限る。）若しくはこれらの法律
第五十八条の三十の三第二項において読み替えて準用する第五十八条の三十第一号	この節	この節（水素等供給等促進法第二十六条第四項の規定により読み替えて適用する場合を含む。）
	第三十五条第三項	第三十五条第三項（水素等供給等促進法第十六条第一項において準用する場合を含む。）
第五十八条の三十の三第二項において準用する第五十八条の三十第	第五十八条の二十七	第五十八条の二十七（水素等供給等促進法第二十六条第四項の規定により読み替えて適用する場合を含む。）

四号		
第七十四条の二第一項第五号及び第七十六条第一項	場合	場合並びに水素等供給等促進法第二十六条第四項の規定により読み替えて適用する場合
第七十六条第二項	第五十九条において準用する場合	第五十九条において準用する場合並びに水素等供給等促進法第二十六条第四項の規定により読み替えて適用する場合
第八十条の二	場合を	場合並びに水素等供給等促進法第二十六条第四項の規定により読み替えて適用する場合を

（高圧ガス保安協会の業務等）

第二十七条　高圧ガス保安協会は、高圧ガス保安法第五十九条の二十八第一項及び第三項に規定する業務のほか、準用高圧ガス保安法第二十条第一項ただし書又は第三項ただし書の完成検査及び第十六条第一項において準用する高圧ガス保安法第三十五条第一項ただし書の保安検査並びにこれらに附帯する業務を行うことができる。

2　前項の規定により高圧ガス保安協会が同項に規定する業務を行う場合には、次の表の上欄に掲げる高圧ガス保安法の規定中同表の中欄に掲げる字句は、それぞれ同表の下欄に掲げる字句とするほか、必要な技術的読替えは、政令で定める。

第五十九条の十七第二項	、この法律に基づく命令	若しくは水素等供給等促進法（第四章第三節、第三十七条第二項及び第三十八条第一項の規定に限る。第五十九条の三十第四項、第五十九条の三十四第二項及び第五十九条の三十

		五第一項において同じ。）若しくはこれらの法律に基づく命令
第五十九条の二十九第三項	が保安検査等	が保安検査等（水素等供給等促進法第十六条第一項又は第二十一条において準用する第二十条第一項ただし書又は第三項ただし書の完成検査及び水素等供給等促進法第十六条第一項において準用する第三十五条第一項ただし書の保安検査を含む。以下この項及び次条において同じ。）
第五十九条の三十第四項	若しくは液化石油ガス法	、液化石油ガス法若しくは水素等供給等促進法
第五十九条の三十四第二項及び第五十九条の三十五第一項	この法律	この法律又は水素等供給等促進法
第八十三条の三	第五十九条の三十五第一項	第五十九条の三十五第一項（水素等供給等促進法第二十七条第二項の規定により読み替えて適用する場合を含む。）
第八十五条第三号	に規定する	並びに水素等供給等促進法第二十七条第一項に規定する
第八十五条第四号	又は第五十九条の三十四第二項	若しくは第五十九条の三十四第二項又は水素等供給等促進法第二十七条第二項の規定により読み替えて適用する第五十九条の二十九第三項、第

		五十九条の三十第四項若しくは第五 十九条の三十四第二項

（聴聞の特例）

第二十八条　高圧ガス保安法第七十六条第一項の規定は第二十三条第二項
　　の規定による命令について、同法第七十六条第二項及び第三項の規定は
　　第十六条第一項において準用する同法第三十四条又は第二十三条の規定
　　による処分について、それぞれ準用する。

（審査請求の手続における意見の聴取）

第二十九条　高圧ガス保安法第七十八条の規定は、この節、第三十七条第
　　二項若しくは第三十八条第一項の規定又はこれらの規定に基づく命令の
　　規定による処分又はその不作為について準用する。

（審査請求の制限）

第三十条　高圧ガス保安法第七十八条の二の規定は、準用高圧ガス保安法
　　第三十九条第一号の規定による処分について準用する。

　　　　第四節　道路の占用の特例

第三十一条　国土交通大臣は、第七条第一項又は第八条第一項の認定の申
　　請があった場合において、当該申請に係る低炭素水素等供給事業者若し
　　くは低炭素水素等利用事業者が行う低炭素水素等供給等事業又は第七条
　　第三項に規定する者が行う低炭素水素等の貯蔵等の用に供する導管（ガ
　　ス事業法（昭和二十九年法律第五十一号）第二条第二項に規定するガス
　　小売事業の用に供するものに限る。次項及び第四十二条第二項において
　　単に「導管」という。）がこれらの者により道路に設置されるものであ
　　るときは、あらかじめ、当該道路の道路管理者（道路法第十八条第一項
　　に規定する道路管理者をいう。次項及び第三項において同じ。）の意見
　　を聴かなければならない。

2　道路管理者は、認定供給等事業計画に従って認定供給等事業者が設置
　　する導管について、道路法第三十二条第一項又は第三項の規定による道
　　路の占用の許可の申請があった場合において、当該申請に係る道路の占

用が同法第三十三条第一項の政令で定める基準に適合するときは、その許可を与えなければならない。

3　認定供給等事業者は、前項の許可を受けようとするときは、その工事をしようとする日の一月前までに、当該工事の計画書を道路管理者に提出しておかなければならない。ただし、災害による復旧工事その他緊急を要する工事又は政令で定める軽微な工事については、この限りでない。

　　　第五章　水素等供給事業者の判断の基準となるべき事項等

（水素等供給事業者の判断の基準となるべき事項）

第三十二条　経済産業大臣は、低炭素水素等の供給を促進するため、水素等の供給を行う事業を行う者（以下「水素等供給事業者」という。）が低炭素水素等の供給を促進するために取り組むべき措置に関し、当該水素等供給事業者の判断の基準となるべき事項を定めるものとする。

2　前項に規定する判断の基準となるべき事項は、基本方針に即し、かつ、水素等供給事業者による低炭素水素等の供給の状況、低炭素水素等の供給、貯蔵、輸送及び利用に関する技術水準、低炭素水素等の利用に係る経済性その他の事情を勘案して定めるものとし、これらの事情の変動に応じて必要な改定をするものとする。

3　経済産業大臣は、第一項に規定する判断の基準となるべき事項を定め、又はその改定をしたときは、遅滞なく、これを公表しなければならない。

（指導及び助言）

第三十三条　経済産業大臣は、低炭素水素等の供給を促進するため必要があると認めるときは、水素等供給事業者に対し、前条第一項に規定する判断の基準となるべき事項を勘案して、低炭素水素等の供給の促進について必要な指導及び助言をすることができる。

（勧告及び命令）

第三十四条　経済産業大臣は、水素等供給事業者であって、その事業において供給を行う水素等の量が政令で定める要件に該当するもの（以下

「特定水素等供給事業者」という。）の低炭素水素等の供給の状況が第三十二条第一項に規定する判断の基準となるべき事項に照らして著しく不十分であると認めるときは、当該特定水素等供給事業者に対し、その判断の根拠を示して、低炭素水素等の供給の促進に関し必要な措置をとるべき旨の勧告をすることができる。

2　経済産業大臣は、前項に規定する勧告を受けた特定水素等供給事業者がその勧告に従わなかったときは、その旨を公表することができる。

3　経済産業大臣は、第一項に規定する勧告を受けた特定水素等供給事業者が、前項の規定によりその勧告に従わなかった旨を公表された後において、なお、正当な理由がなくてその勧告に係る措置をとらなかった場合において、低炭素水素等の供給の促進を著しく害すると認めるときは、総合資源エネルギー調査会の意見を聴いて、当該特定水素等供給事業者に対し、その勧告に係る措置をとるべきことを命ずることができる。

第六章　雑則

（資金の確保）

第三十五条　国は、第七条第一項の認定を受けた者が認定供給等事業計画に従って低炭素水素等供給等事業を行い、又は同条第三項に規定する者が認定供給等事業計画に従って低炭素水素等の貯蔵等を行うために必要な資金の確保に努めるものとする。

（承認の条件）

第三十六条　第十二条第一項、第十四条第一項、第十七条第一項及び第十九条第一項の承認には、条件を付し、及びこれを変更することができる。

2　前項の条件は、公共の安全の維持又は災害の発生の防止を図るため必要な最小限度のものに限り、かつ、承認を受ける者に不当の義務を課することとならないものでなければならない。

（報告の徴収）

第三十七条　主務大臣は、認定供給等事業者に対し、認定供給等事業計画

の実施状況に関し報告を求めることができる。

2　経済産業大臣又は都道府県知事は、この法律を施行するため必要があると認めるときは、承認製造者に対しその特定製造期間において、承認貯蔵者若しくは承認貯蔵所の所有者若しくは占有者に対しその承認貯蔵所に係る特定貯蔵期間において、又は第二十二条第一項の認定を受けた者に対しその特定輸入期間において、その業務に関し報告を求めることができる。

3　経済産業大臣は、この法律の施行に必要な限度において、特定水素等供給事業者に対し、低炭素水素等の供給の状況に関し報告を求めることができる。

（立入検査）

第三十八条　経済産業大臣又は都道府県知事は、この法律を施行するため必要があると認めるときは、その職員に、承認製造者についてその特定製造期間において、承認貯蔵者若しくは承認貯蔵所の所有者若しくは占有者についてその承認貯蔵所に係る特定貯蔵期間において、又は第二十二条第一項の認定を受けた者についてその特定輸入期間において、これらの者の事務所、営業所、工場、事業場又は高圧低炭素水素等ガス若しくは容器の保管場所に立ち入り、これらの者の帳簿、書類その他の物件を検査させ、関係者に質問させ、又は試験のため必要な最小限度の容積に限り高圧低炭素水素等ガスを収去させることができる。

2　経済産業大臣は、この法律の施行に必要な限度において、その職員に、特定水素等供給事業者の事務所、営業所、工場、事業場又は倉庫に立ち入り、その者の帳簿、書類その他の物件を検査させることができる。

3　前二項の規定により立入検査をする職員は、その身分を示す証明書を携帯し、関係者に提示しなければならない。

4　第一項及び第二項の規定による立入検査、質問及び収去の権限は、犯罪捜査のために認められたものと解釈してはならない。

（手数料）

第三十九条　次に掲げる者（経済産業大臣に対して手続を行おうとする者に限る。）は、実費を勘案して政令で定める額の手数料を納めなければならない。

一　第十二条第一項、第十四条第一項、第十七条第一項又は第十九条第一項の承認を受けようとする者二　準用高圧ガス保安法第二十条第一項又は第三項の完成検査を受けようとする者

三　第十六条第一項において準用する高圧ガス保安法第三十五条第一項の保安検査を受けようとする者四　第二十二条第一項の認定を受けようとする者

（大都市の特例）

第四十条　準用高圧ガス保安法第三十九条（第二号及び第三号を除く。）又は第二十四条、第三十七条第二項若しくは第三十八条第一項の規定により都道府県知事が処理することとされている事務（公共の安全の維持又は災害の発生の防止の観点から都道府県知事が当該都道府県の区域にわたり一体的に処理することが指定都市（地方自治法（昭和二十二年法律第六十七号）第二百五十二条の十九第一項に規定する指定都市をいう。以下この条において同じ。）の長が処理することに比して適当であるものとして政令で定めるものを除く。）は、指定都市においては、指定都市の長が処理するものとする。この場合においては、この法律中前段に規定する事務に係る都道府県知事に関する規定は、指定都市の長に関する規定として指定都市の長に適用があるものとする。

（協議）

第四十一条　経済産業大臣は、第二条第一項の要件を定める経済産業省令を定め、又はこれを変更するときは、あらかじめ、環境大臣に協議するものとする。

（主務大臣等）

第四十二条　第三条第一項及び第三項から第五項までにおける主務大臣は、基本方針のうち、同条第二項第三号に掲げる事項に係る部分については経済産業大臣及び国土交通大臣とし、その他の部分については経済

産業大臣とする。

2　第七条第一項並びに第五項、第八項及び第九項（これらの規定を第八条第七項において準用する場合を含む。）、第八条第一項から第五項まで、第九条並びに第三十七条第一項における主務大臣は、経済産業大臣とする。ただし、供給等施設（導管を除く。）を港湾に整備する場合及び導管を設置する場合における低炭素水素等供給等事業計画に関する事項については、経済産業大臣及び国土交通大臣とする。

3　第七条第六項及び第十項（これらの規定を第八条第七項において準用する場合を含む。）並びに第八条第六項における主務大臣は、経済産業大臣とする。

4　第七条第七項（第八条第七項において準用する場合を含む。）における主務大臣は、国土交通大臣とする。

5　第三章における主務省令は、政令で定めるところにより、経済産業大臣又は国土交通大臣の発する命令とする。

（環境大臣との関係）

第四十三条　経済産業大臣は、低炭素水素等の供給及び利用の促進に関する施策の実施に当たり、当該施策の実施が環境の保全に関する施策に関連する場合には、環境大臣と緊密に連絡し、及び協力して行うものとする。

（権限の委任）

第四十四条　この法律に規定する経済産業大臣、国土交通大臣及び主務大臣の権限は、経済産業大臣の権限にあっては経済産業省令で定めるところにより、国土交通大臣の権限にあっては国土交通省令で定めるところにより、主務大臣の権限にあっては主務省令で定めるところにより、地方支分部局の長にそれぞれ委任することができる。

（省令への委任）

第四十五条　この法律に定めるもののほか、この法律の実施のため必要な事項は、経済産業省令、国土交通省令又は主務省令で定める。

（経過措置）

第四十六条　この法律に基づき命令を制定し、又は改廃する場合において
は、その命令で、その制定又は改廃に伴い合理的に必要と判断される範
囲内において、所要の経過措置（罰則に関する経過措置を含む。）を定
めることができる。

　　　第七章　罰則

第四十七条　次の各号のいずれかに該当する場合には、当該違反行為をし
た者は、一年以下の拘禁刑若しくは百万円以下の罰金に処し、又はこれ
を併科する。

一　第十六条第一項において準用する高圧ガス保安法第三十九条第一号
　の規定による製造のための施設の使用の停止の命令に違反したとき。

二　第二十三条第二項の規定による製造の停止の命令に違反したとき。

第四十八条　次の各号のいずれかに該当する場合には、当該違反行為をし
た者は、六月以下の拘禁刑若しくは五十万円以下の罰金に処し、又はこ
れを併科する。

一　承認製造者が、その特定製造期間において、第十四条第一項の承認
　を受けないで高圧低炭素水素等ガスの製造のための施設の位置、構造
　若しくは設備の変更の工事をし、又は製造をする高圧低炭素水素等ガ
　スの種類若しくは製造の方法を変更したとき。

二　準用高圧ガス保安法第二十条第一項若しくは第三項又は第十六条第
　一項において準用する高圧ガス保安法第二十七条の二第一項（第二号
　を除く。）若しくは第三項若しくは第四項（第十六条第一項において
　準用する同法第二十七条の二第一項第一号に係る部分に限る。）、第二
　十七条の三第一項若しくは第二項若しくは第三十三条第一項（第十六
　条第一項において準用する同法第二十七条の二第一項第一号に係る部
　分に限る。）の規定に違反したとき。

三　承認貯蔵所の所有者又は占有者が、当該承認貯蔵所に係る特定貯蔵
　期間において、第十九条第一項の承認を受けないで承認貯蔵所の位
　置、構造又は設備の変更の工事をしたとき。

四　第二十一条において準用する高圧ガス保安法第三十九条第一号の規

定による承認貯蔵所の使用の停止の命令に違反したとき。

　五　第二十二条第三項の規定による命令に違反したとき。

　六　第二十三条第二項の規定による貯蔵の停止の命令に違反したとき。

　七　第三十六条第一項の規定により付された条件に違反したとき。

第四十九条　次の各号のいずれかに該当する場合には、当該違反行為をした者は、五十万円以下の罰金に処する。

　一　第十六条第一項において準用する高圧ガス保安法第十一条第一項若しくは第二項、準用高圧ガス保安法第三十七条又は第二十一条において準用する高圧ガス保安法第十八条第一項の規定に違反したとき。

　二　承認製造者が、その特定製造期間において、第十六条第一項において準用する高圧ガス保安法第二十六条第一項に規定する危害予防規程を定めないで高圧低炭素水素等ガスの製造をしたとき。

　三　第三十四条第三項の規定による命令に違反したとき。

第五十条　次の各号のいずれかに該当する場合には、当該違反行為をした者は、三十万円以下の罰金に処する。

　一　特定製造期間における承認製造者又は特定貯蔵期間における承認貯蔵所の所有者若しくは占有者が、第十三条第二項、第十四条第二項、第十五条、第十六条第一項において準用する高圧ガス保安法第二十六条第一項若しくは第二十七条の二第五項（第十六条第一項において準用する同法第二十七条の二第一項第一号に係る部分に限り、第十六条第一項において準用する同法第三十三条第三項において準用する場合を含む。）若しくは第六項（第十六条第一項において準用する同法第二十七条の二第一項第一号に係る部分に限り、第十六条第一項において準用する同法第二十七条の三第三項において準用する場合を含む。）、第十八条第二項、第十九条第二項又は第二十条の規定による届出をせず、又は虚偽の届出をしたとき。

　二　第十六条第一項において準用する高圧ガス保安法第三十五条第一項の規定による検査を拒み、妨げ、又は忌避したとき。

　三　第十六条第一項において準用する高圧ガス保安法第三十五条の二の

　　規定による検査記録を作成せず、虚偽の検査記録を作成し、又は検査
　　記録を保存しなかったとき。

　四　準用高圧ガス保安法第六十条第一項の規定による帳簿の記載をせ
　　ず、虚偽の記載をし、又は帳簿を保存しなかったとき。

　五　第三十七条第一項又は第二項の規定による報告をせず、又は虚偽の
　　報告をしたとき。

　六　第三十八条第一項の規定による検査若しくは収去を拒み、妨げ、若
　　しくは忌避し、又は同項の規定による質問に対し、答弁をせず、若し
　　くは虚偽の答弁をしたとき。

第五十一条　次の各号のいずれかに該当する場合には、当該違反行為をし
　た者は、二十万円以下の罰金に処する。

　一　第三十七条第三項の規定による報告をせず、又は虚偽の報告をした
　　とき。

　二　第三十八条第二項の規定による検査を拒み、妨げ、又は忌避したと
　　き。

第五十二条　法人の代表者又は法人若しくは人の代理人、使用人その他の
　従業者が、その法人又は人の業務に関し、第四十七条から前条までの違
　反行為をしたときは、行為者を罰するほか、その法人又は人に対して各
　本条の罰金刑を科する。

　　　附　　則

（施行期日）

第一条　この法律は、公布の日から起算して六月を超えない範囲内におい
　て政令で定める日から施行する。ただし、附則第十四条の規定は、公布
　の日から施行する。

（検討）

第二条　政府は、この法律の施行後五年を目途として、この法律の施行の
　状況について検討を加え、必要があると認めるときは、その結果に基づ
　いて必要な措置を講ずるものとする。

2　政府は、前項の規定による検討とともに、低炭素水素等の供給及び利

用を促進し、脱炭素成長型経済構造への円滑な移行を図るため、脱炭素成長型経済構造への円滑な移行の推進に関する法律第二条第六項に規定する化石燃料賦課金及び特定事業者負担金に係る制度との整合性の確保、低炭素水素等の利用に係る技術水準及び経済性等に留意しつつ、電気事業及びガス事業並びに石油精製業、製造業、運輸業等の産業における低炭素水素等の利用を促進するための制度の在り方について検討を加え、その結果に基づいて必要な措置を講ずるものとする。

（調整規定）

第三条　高圧ガス保安法等の一部を改正する法律（令和四年法律第七十四号）附則第一条第四号に掲げる規定の施行の日（附則第六条において「高圧ガス保安法等改正法施行日」という。）の前日までの間における第十六条第一項、第二十四条第一項第二号、第二十五条第三項、第四項、第六項及び第八項、第二十六条並びに第二十七条の規定の適用については、第十六条第一項、同号、第二十五条第四項、第二十六条第三項及び第四項並びに第二十七条中「第三十五条第一項ただし書」とあるのは「第三十五条第一項第一号」と、同号、第二十五条第四項、第二十六条第一項及び第二項並びに第二十七条中「第三項ただし書」とあるのは「第三項第一号」と、第二十五条第三項及び第六項中「第三十九条の二」とあるのは「第三十九条の十三」と、同条第三項中「第三十九条の四第二項」とあるのは「第三十九条の十五第二項」と、同条第八項中「第二十条第三項ただし書」とあるのは「第二十条第三項第一号」と、第二十六条第三項中「同条第一項ただし書」とあるのは「同条第一項第一号」とする。

第四条　刑法等の一部を改正する法律（令和四年法律第六十七号）の施行の日（以下この条において「刑法施行日」という。）の前日までの間における第四十七条及び第四十八条の規定の適用については、これらの規定中「拘禁刑」とあるのは、「懲役」とする。刑法施行日以後における刑法施行日前にした行為に対するこれらの規定の適用についても、同様とする。

（高圧ガス保安法の一部改正）

第五条　高圧ガス保安法の一部を次のように改正する。

　　第七条第四号中「前三号」を「前各号」に改め、同号を同条第六号とし、同条第三号の次に次の二号を加える。

四　脱炭素成長型経済構造への円滑な移行のための低炭素水素等の供給及び利用の促進に関する法律

　　（令和六年法律第　　　号。以下「水素等供給等促進法」という。）第二十三条第二項の規定により水素等供給等促進法第十二条第一項又は第十七条第一項の承認を取り消され、取消しの日から二年を経過しない者

五　水素等供給等促進法（第四章第三節、第三十七条第二項及び第三十八条第一項の規定に限る。以下この号、第二十九条第四項第二号、第三十条、第三十九条の四第一項第三号及び第五十八条の十九第一号において同じ。）又は水素等供給等促進法に基づく命令の規定に違反し、罰金以上の刑に処せられ、その執行を終わり、又は執行を受けることがなくなつた日から二年を経過しない者

　　第二十九条第四項中「一に」を「いずれかに」に改め、同項第二号中「法律若しくは」を「法律、」に改め、「液化石油ガス法」の下に「若しくは水素等供給等促進法」を加え、「基く」を「基づく」に、「終り」を「終わり」に改める。

　　第三十条中「法律若しくは」を「法律、」に改め、「液化石油ガス法」の下に「若しくは水素等供給等促進法」を加える。

　　第三十八条第一項第六号中「第四号」を「第六号」に改める。

　　第三十九条の十五第一項第三号中「又はこの」を「若しくは水素等供給等促進法又はこれらの」に改める。

　　第五十八条の十九各号列記以外の部分中「一に」を「いずれかに」に改め、同条第一号中「又はこの」を「若しくは水素等供給等促進法又はこれらの」に改め、同条第二号中「第五十八条の三十」の下に「（水素等供給等促進法第二十六条第二項の規定により読み替えて適用する場合

を含む。）」を加え、同条第三号中「一に」を「いずれかに」に改める。

　　第五十八条の三十の三第二項中「第三十五条第一項第一号」と」の下に「、第五十八条の十九第二号中「第二十六条第二項」とあるのは「第二十六条第四項」と」を加える。

（高圧ガス保安法の一部改正に伴う経過措置）

第六条　高圧ガス保安法等改正法施行日の前日までの間における高圧ガス保安法第七条第五号の規定の適用については、同号中「第三十九条の四第一項第三号」とあるのは、「第三十九条の十五第一項第三号」とする。

（ガス事業法の一部改正）

第七条　ガス事業法の一部を次のように改正する。

　　第百五条中「昭和三十九年法律第百七十号）又は」を「昭和三十九年法律第百七十号）、」に、「）の適用」を「）又は脱炭素成長型経済構造への円滑な移行のための低炭素水素等の供給及び利用の促進に関する法律（令和六年法律第　　　号。第百七十五条において「水素等供給等促進法」という。）第四章第三節の適用」に、「同条第四項」を「第三十二条第四項」に改める。

　　第百七十五条の見出し中「高圧ガス保安法」を「高圧ガス保安法等」に改め、同条中「中高圧ガス」の下に「（同法第二条に規定する高圧ガスをいう。）」を、「規定」の下に「並びに水素等供給等促進法第四章第三節中高圧低炭素水素等ガス（水素等供給等促進法第十二条第一項に規定する高圧低炭素水素等ガスをいう。）の製造の事業及び製造のための施設に関する規定」を加える。

（液化石油ガスの保安の確保及び取引の適正化に関する法律の一部改正）

第八条　液化石油ガスの保安の確保及び取引の適正化に関する法律（昭和四十二年法律第百四十九号）の一部を次のように改正する。

　　第四条第一項第一号中「法律若しくは」を「法律、」に改め、「昭和二十六年法律第二百四号）」の下に「若しくは脱炭素成長型経済構造への円滑な移行のための低炭素水素等の供給及び利用の促進に関する法律（令和六年法律第　　　号）（第四章第三節、第三十七条第二項及び第三

十八条第一項の規定に限る。第三十条第一号において「水素等供給等促進法」という。)」を加える。

第三十条第一号中「法律若しくは」を「法律、」に改め、「高圧ガス保安法」の下に「若しくは水素等供給等促進法」を加える。

（石油コンビナート等災害防止法の一部改正）

第九条　石油コンビナート等災害防止法（昭和五十年法律第八十四号）の一部を次のように改正する。

第二条第二号イ中「に係る事業所」を「又は脱炭素成長型経済構造への円滑な移行のための低炭素水素等の供給及び利用の促進に関する法律（令和六年法律第　　号。以下「水素等供給等促進法」という。）第十二条第一項の規定による承認に係る事業所」に、「同項第一号」を「高圧ガス保安法第五条第一項第一号」に、「すべて」を「全て」に、「を受けている」を「若しくは水素等供給等促進法第十二条第一項の規定による承認を受けている」に改める。

第五条第一項中「許可」の下に「又は水素等供給等促進法第十二条第一項の規定による承認」を加える。

第九条の見出し中「許可」を「許可等」に改め、同条第一項中「許可又は」を「許可、」に、「許可（」を「許可又は水素等供給等促進法第十二条第一項若しくは第十四条第一項の規定による承認（」に、「消防法等の許可」を「消防法等の許可等」に改め、「総務大臣」の下に「、経済産業大臣」を加え、「許可権者」を「許可等権者」に改め、同条第二項中「許可権者」を「許可等権者」に、「消防法等の許可」を「消防法等の許可等」に改め、同条第三項中「消防法等の許可」を「消防法等の許可等」に改め、「第三項」の下に「（これらの規定を水素等供給等促進法第十六条第一項において準用する場合を含む。）」を加える。

第十条中「施設及び」を「施設、」に改め、「の施設」の下に「及び水素等供給等促進法第十二条第一項又は第十四条第一項の規定による承認に係る同項に規定する施設」を加え、「許可施設」を「許可等施設」に改める。

　　第十二条第一号及び第二号中「許可施設」を「許可等施設」に改める。

　　第四十一条第一項中「第七十九条の三」の下に「又は水素等供給等促進法第四十条」を加え、「同条」を「これらの規定」に改め、同条第二項中「規定により、」を「規定により」に改め、「とき」の下に「、又は水素等供給等促進法の規定により第一種事業所に係る通知の受理その他の政令で定める行為をしたとき」を加える。

（大規模地震対策特別措置法等の一部改正）

第十条　次に掲げる法律の規定中「第二十六条第一項」の下に「（脱炭素成長型経済構造への円滑な移行のための低炭素水素等の供給及び利用の促進に関する法律（令和六年法律第　　　号）第十六条第一項において準用する場合を含む。）」を加える。

一　大規模地震対策特別措置法（昭和五十三年法律第七十三号）第八条第一項第三号

二　南海トラフ地震に係る地震防災対策の推進に関する特別措置法（平成十四年法律第九十二号）第八条第一項第四号

三　日本海溝・千島海溝周辺海溝型地震に係る地震防災対策の推進に関する特別措置法（平成十六年法律第二十七号）第七条第一項第三号

（独立行政法人エネルギー・金属鉱物資源機構法の一部改正）

第十一条　独立行政法人エネルギー・金属鉱物資源機構法（平成十四年法律第九十四号）の一部を次のように改正する。

　　第十一条第一項に次の一号を加える。

二十六　脱炭素成長型経済構造への円滑な移行のための低炭素水素等の供給及び利用の促進に関する法律（令和六年法律第　　　号）第十条に規定する業務を行うこと。

　　第十二条に次の一号を加える。

七　第十一条第一項第二十六号に掲げる業務

　　第十二条の二中「及び第二十五号」を「、第二十五号及び第二十六号」に改める。

（特別会計に関する法律の一部改正）

第十二条　特別会計に関する法律（平成十九年法律第二十三号）の一部を
　　次のように改正する。

　　　第八十五条第三項第一号ホ中「限る。）」の下に「及び脱炭素成長型経
　　済構造への円滑な移行のための低炭素水素等の供給及び利用の促進に関
　　する法律（令和六年法律第　　　号）第十条第一号の規定に基づき行う
　　事業」を加える。

（経済産業省設置法の一部改正）

第十三条　経済産業省設置法（平成十一年法律第九十九号）の一部を次の
　　ように改正する。

　　　第十九条第一項第五号中「鉱業法」を「脱炭素成長型経済構造への円
　　滑な移行のための低炭素水素等の供給及び利用の促進に関する法律（令
　　和六年法律第　　　号）、鉱業法」に改める。

（政令への委任）

第十四条　この附則に規定するもののほか、この法律の施行に伴い必要な
　　経過措置は、政令で定める。

理　由

　我が国における脱炭素成長型の経済構造への円滑な移行に向けて、低炭素水素等の供給及び利用を早期に促進するため、主務大臣による基本方針の策定、主務大臣の認定を受けた低炭素水素等の供給及び利用に関する計画に基づき事業を実施する者に対する助成金の交付及び規制の特例措置、水素等を供給する事業者による低炭素水素等の供給の促進に関し判断の基準となるべき事項の策定等の措置を講ずる必要がある。これが、この法律案を提出する理由である。

[監修]

柏木　孝夫（かしわぎ　たかお）

東京工業大学名誉教授

1946年生まれ、東京都出身。70年東京工業大学工学部生産機械工学科卒業、その後同大学大学院を経て、79年博士号取得。80年米国商務省 NBS 招聘研究員、東京工業大学工学部助教授、東京農工大学教授、同大学評議員、図書部長などを経て、2007年より東京工業大学総合研究院教授（現・科学技術創成研究院）、09年先進エネルギー国際研究センター長、12年特命教授、23年より現職。また、11年より（一財）コージェネレーション・エネルギー高度利用センター理事長、水素・燃料電池戦略協議会議長、内閣府エネルギー・環境イノベーション戦略会議議長など、長年国のエネルギー政策に深く関わっている。

森本　英香（もりもと　ひでか）

早稲田大学教授

1957年生まれ、大阪府出身。東京大学法学部卒業後81年環境庁に入り、2001年環境省環境管理局大気生活環境室長、02年環境大臣秘書官、03年米国 East West Center 客員研究員、内閣官房内閣参事官、05年環境省大臣官房廃棄物・リサイクル部企画課長、06年総合環境政策局環境保健部企画課長、08年大臣官房総務課長、09年秘書課長、10年大臣官房審議官、10年9月国際連合大学（日本国）、11年環境省大臣官房審議官、同年内閣官房内閣審議官・原子力安全規制組織改革準備室長、12年原子力規制庁次長、14年環境省大臣官房長、17年環境事務次官、20年より現職。

2050カーボンニュートラル実現を目指して

2024年4月6日　第1刷発行

監修―――柏木　孝夫
　　　　　森本　英香

発行者―――米盛　康正
発行所―――株式会社　時評社
　　　　　　〒100-0013　東京都千代田区霞が関3-4-2 商工会館・弁理士会館ビル
　　　　　　電話：03(3580)6633　FAX：03(3580)6634
　　　　　　https://www.jihyo.co.jp

印刷―――株式会社　太平印刷社